哈佛百年经典

培根论说文集及新特兰蒂斯 弥尔顿论出版自由与教育

[英]培 根 / [英]弥尔顿◎著
[美]查尔斯·艾略特◎主编
张 春 / 张影莹◎译

北京理工大学出版社
BEIJING INSTITUTE OF TECHNOLOGY PRESS

版权专有 侵权必究

图书在版编目（CIP）数据

培根论说文集及新特兰蒂斯；弥尔顿论出版自由与教育 /（英）培根，（英）弥尔顿著；张春，张影莹译. —北京：北京理工大学出版社，2014.6（2019.9重印）
（哈佛百年经典）
ISBN 978-7-5640-9000-5

Ⅰ.①培… Ⅱ.①培… ②弥… ③张… ④张… Ⅲ.①哲学理论—英国—中世纪 ②出版自由—研究 ③教育哲学—研究 Ⅳ.①B561.21 ②G230 ③G40-092.7

中国版本图书馆CIP数据核字（2014）第067804号

出版发行 /	北京理工大学出版社有限责任公司
社　　址 /	北京市海淀区中关村南大街5号
邮　　编 /	100081
电　　话 /	（010）68914775（总编室）
	82562903（教材售后服务热线）
	68948351（其他图书服务热线）
网　　址 /	http://www.bitpress.com.cn
经　　销 /	全国各地新华书店
印　　刷 /	三河市金元印装有限公司
开　　本 /	700毫米×1000毫米　1/16
印　　张 /	14.25
字　　数 /	190千字
版　　次 /	2014年6月第1版　2019年9月第2次印刷
定　　价 /	39.00元

责任编辑 / 张慧峰
文案编辑 / 张慧峰
责任校对 / 周瑞红
责任印制 / 边心超

图书出现印装质量问题，请拨打售后服务热线，本社负责调换

出版前言

人类对知识的追求是永无止境的，从苏格拉底到亚里士多德，从孔子到释迦摩尼，人类先哲的思想闪烁着智慧的光芒。将这些优秀的文明汇编成书奉献给大家，是一件多么功德无量、造福人类的事情！1901年，哈佛大学第二任校长查尔斯·艾略特，联合哈佛大学及美国其他名校一百多位享誉全球的教授，历时四年整理推出了一系列这样的书——《Harvard Classics》。这套丛书一经推出即引起了西方教育界、文化界的广泛关注和热烈赞扬，并因其庞大的规模，被文化界人士称为The Five-foot Shelf of Books——五尺丛书。

关于这套丛书的出版，我们不得不谈一下与哈佛的渊源。当然，《Harvard Classics》与哈佛的渊源并不仅仅限于主编是哈佛大学的校长，《Harvard Classics》其实是哈佛精神传承的载体，是哈佛学子之所以优秀的底层基因。

哈佛，早已成为一个璀璨夺目的文化名词。就像两千多年前的雅典学院，或者山东曲阜的"杏坛"，哈佛大学已经取得了人类文化史上的"经典"地位。哈佛人以"先有哈佛，后有美国"而自豪。在1775—1783年美国独立战争中，几乎所有著名的革命者都是哈佛大学的毕业生。从1636年建校至今，哈佛大学已培养出了7位美国总统、40位诺贝尔奖得主和30位普利策奖获奖者。这是一个高不可攀的记录。它还培养了数不清的社会精英，其中包括政治家、科学家、企业家、作家、学者和卓有成就的新闻记者。哈佛是美国精神的代表，同时也是世界人文的奇迹。

而将哈佛的魅力承载起来的，正是这套《Harvard Classics》。在本丛书里，你会看到精英文化的本质：崇尚真理。正如哈佛大学的校训："与柏拉图为友，与亚里士多德为友，更与真理为友。"这种求真、求实的精神，正代表了现代文明的本质和方向。

哈佛人相信以柏拉图、亚里士多德为代表的希腊人文传统，相信在伟大的传统中有永恒的智慧，所以哈佛人从来不全盘反传统、反历史。哈佛人强调，追求真理是最高的原则，无论是世俗的权贵，还是神圣的权威都不能代替真理，都不能阻碍人对真理的追求。

对于这套承载着哈佛精神的丛书，丛书主编查尔斯·艾略特说："我选编《Harvard Classics》，旨在为认真、执著的读者提供文学养分，他们将可以从中大致了解人类从古代直至19世纪末观察、记录、发明以及想象的进程。"

"在这50卷书、约22000页的篇幅内，我试图为一个20世纪的文化人提供获取古代和现代知识的手段。"

"作为一个20世纪的文化人，他不仅理所当然的要有开明的理念或思维方法，而且还必须拥有一座人类从蛮荒发展到文明的进程中所积累起来的、有文字记载的关于发现、经历以及思索的宝藏。"

可以说，50卷的《Harvard Classics》忠实记录了人类文明的发展历程，传承了人类探索和发现的精神和勇气。而对于这类书籍的阅读，是每一个时代的人都不可错过的。

这套丛书内容极其丰富。从学科领域来看，涵盖了历史、传记、哲学、宗教、游记、自然科学、政府与政治、教育、评论、戏剧、叙事和抒情诗、散文等各大学科领域。从文化的代表性来看，既展现了希腊、罗马、法国、意大利、西班牙、英国、德国、美国等西方国家古代和近代文明的最优秀成果，也撷取了中国、印度、希伯来、阿拉伯、斯堪的纳维亚、爱尔兰文明最有代表性的作品。从年代来看，从最古老的宗教经典和作为西方文明起源的古希腊和罗马文化，到东方、意大利、法国、斯堪的纳维亚、爱尔兰、英国、德国、拉丁美洲的中世纪文化，其中包括意大利、法国、德国、英国、西班牙等国文艺复兴时期的思想，再到意大利、法国三个世纪、德国两个世纪、英格兰三个世纪和美国两个多世纪的现代文明。从特色来看，纳入了17、18、19世纪科学发展的最权威文献，收集了近代以来最有影响的随笔、历史文献、前言、后记，可为读者进入某一学科领域起到引导的作用。

这套丛书自1901年开始推出至今，已经影响西方百余年。然而，遗憾的是中文版本却因为各种各样的原因，始终未能面市。

2006年，万卷出版公司推出了《Harvard Classics》全套英文版本，这套经典著作才得以和国人见面。但是能够阅读英文著作的中国读者毕竟有限，于是2010年，我社开始酝酿推出这套经典著作的中文版本。

在确定这套丛书的中文出版系列名时，我们考虑到这套丛书已经诞生并畅销百余年，故选用了"哈佛百年经典"这个系列名，以向国内读者传达这套丛书的不朽地位。

同时，根据国情以及国人的阅读习惯，本次出版的中文版做了如下变动：

第一，因这套丛书的工程浩大，考虑到翻译、制作、印刷等各种环节的不可掌控因素，中文版的序号没有按照英文原书的序号排列。

第二，这套丛书原有50卷，由于种种原因，以下几卷暂不能出版：

英文原书第4卷：《弥尔顿诗集》

英文原书第6卷：《彭斯诗集》

英文原书第7卷：《圣奥古斯丁忏悔录 效法基督》

英文原书第27卷：《英国名家随笔》

英文原书第40卷：《英文诗集1：从乔叟到格雷》

英文原书第41卷：《英文诗集2：从科林斯到费兹杰拉德》

英文原书第42卷：《英文诗集3：从丁尼生到惠特曼》

英文原书第44卷：《圣书（卷Ⅰ）：孔子；希伯来书；基督圣经（Ⅰ）》

英文原书第45卷：《圣书（卷Ⅱ）：基督圣经（Ⅱ）；佛陀；印度教；穆罕默德》

英文原书第48卷：《帕斯卡尔文集》

这套丛书的出版，耗费了我社众多工作人员的心血。首先，翻译的工作就非常困难。为了保证译文的质量，我们向全国各大院校的数百位教授发出翻译邀请，从中择优选出了最能体现原书风范的译文。之后，我们又对译文进行了大量的勘校，以确保译文的准确和精炼。

由于这套丛书所使用的英语年代相对比较早，丛书中收录的作品很多还是由其他文字翻译成英文的，翻译的难度非常大。所以，我们的译文还可能存在艰涩、不准确等问题。感谢读者的谅解，同时也欢迎各界人士批评和指止。

我们期待这套丛书能为读者提供一个相对完善的中文读本，也期待这套承载着哈佛精神、影响西方百年的经典图书，可以拨动中国读者的心灵，影响人们的情感、性格、精神与灵魂。

目录 Contents

论说文集　　　　　　　　　　　　　　001
　　〔英〕培根

新特兰蒂斯　　　　　　　　　　　　127
　　〔英〕培根

出版自由　　　　　　　　　　　　　163
　　〔英〕弥尔顿

教育　　　　　　　　　　　　　　　207
　　〔英〕弥尔顿

论 说 文 集
Essays Civil And Moral & The New Atlantis

〔英〕培根 著

主编序言

弗兰西斯·培根（1561—1626）1561年1月22日出生于伦敦。其父尼古拉·培根是伊丽莎白女皇国玺的掌玺大臣。12岁时，他进入剑桥大学的三一学院，三年后作为英国驻法大使埃米阿斯·鲍莱爵士的随员去了法国，从而中断了在剑桥的法律学习。1579年，培根的父亲离世，他随即被召回家，除了一笔很少的财产，他父亲什么也没给他留下。之后，他在葛莱法学院重新攻读法律，并于1582年获得律师资格，成为了一名真正的律师。两年后，即1584年，他进入下议院，积极参与政治活动。

培根从小就对科学有着极大的兴趣，并将追求科学真理作为毕生梦想。但他认为要实现这一目标，金钱和声誉是必要条件，因此他努力赚钱并获得声誉。伊丽莎白时期，他曾是好几个政府职位的候选人，但遗憾的是都未获选；而对于金钱，他也时常陷入困境。他从几个有影响力的赞助者那儿获得过资助，最著名的便是艾塞克斯伯爵，但是后来他却背弃了这位贵族，并被以不忠的罪名遭到起诉，这也是他这一生中最大的污点。

詹姆士一世即位后不久，培根被封为爵士。1606年，他与市议员的女儿结婚，并在次年被任命为副检察长，从而踏出了事业上重要的一步；1618年，培根被任命为大法官，不久后，他被升为维鲁兰男爵，1621年又升为圣·奥尔本子爵。那时他达到公众事业的顶峰，但仅四个月后他却遭遇了人生的滑铁卢。因为受贿，培根被宣告有罪，上议院宣判剥夺了他的职位，将其监禁，并要其支付一大笔罚金。1626年4月9日，培根去世，当时他已经退休，终生无子嗣。

培根在科学和哲学领域中有许多重要著述，而它们仅仅是其巨著《大复兴》的一部分，剩余很多还未来得及完成。《大复兴》的第一部分《论知识的价值与发展》是其《学术之进步》的拉丁文扩写版，在书中，他将人类知识进步纳入对其所处时代的评价之中。第二部分是著名的《新工具》，描述了基于观察和试验所得的电磁感应的方法，并相信那将是未来推动科技进步的工具。第三部分主要是零散的自然现象和哲学构想的集合，后者则还需通过理论应用和物质世界的实际进行论证。

关于培根自己所做的试验，科学价值并不突出，他甚至对当时的许多重要发现都不知道，然而他建立的基本原则却奠定了现代科学方法的基础。

培根的著作并没有局限于自然哲学领域。他写了一本著名的《亨利七世本纪》，其中许多文选仍是现代的政治主题；《新西特兰提斯岛》是一本描写理想国的未完成的作品；《古代智慧》以寓言的方式讲述了一系列经典神话；还有《格言》及其他一些作品。

但到目前为止，最受欢迎的作品当属《论说文集》。此书培根在世时就已出版了三个版本。第一版出版于1597年，含10篇论文；第二版出版于1612年，含38篇；第三版出版于1625年，也是现下发行的版本。书中表达了对人对事的观点，内容丰富，用语凝练，强调行事要讲求实用和便利，这和其科学论著中的观点如出一辙。但若将《论说文集》视为培根理想行为的代表作则就不恰当了。它更像是一本精明的观察集，教人们如何立身处世。关于人类本性，不是应当怎样，而是事实是怎样。有时候，它也会从道德的角度考虑一些行为，而更多的时候则是书写坦诚的世故之智。同样，它也展现了培根关于国家政策的观点，而在《论花园》中，它又描写了培根的个人兴趣。《论说文集》涵盖了许多主题，笔调清新、简明，时而又极具警示意味，书中还包含了许多实例，用培根自己的话说，当他写作时，论文就"回归到了人们的生活和内心之中"。

查尔斯·艾略特

献　词
致至高无上的英格兰海军将领、尊敬的白金汉公爵阁下

所罗门说："一个好的名字就像一个珍贵的软膏。"我自己非常确信这一点，如阁下之名必定子孙满堂、福泽绵延。您的财富和功勋都是受人尊敬的，并且您还种植了最经久耐食的作物。我现在要出版我的论说集了，在我所有的作品中，这是最大众化的一部，因为就如同书中内容所展现的那样，它回归到了人们的生活和内心之中。我在内容和深度上对本书进行了扩写，所以它的确能算得上是新作。我想只有这样才能表达我对阁下的爱戴和奉献——将您之尊名放在它之前，同时用英文和拉丁文书写。我认为拉丁书卷（拉丁语是流传最广的语言）能流传到书籍所能流传的时代。我的《大复兴》是以国王题的献词；我的《亨利七世本纪》（现在我也翻译成了拉丁文），《自然历史》的一部分是以亲王题的献词；而这些，我要以阁下来题献词，这是通过上帝赐予我的笔和我所有的力量耕耘出的最好的果实。上帝用手指引了阁下您。

阁下的感激者和忠实的仆人
弗兰西斯·圣·奥尔本

论 真 理

风趣幽默的彼拉多曾问:"真理是什么?"他问完之后并没有给出任何答案。世界上确有一些人喜欢变化,认为固定了思想就束缚了自由的意志和行为。尽管这种哲学派系、这种怀疑论者已成为过去,但仍有一些夸夸其谈的言论与之同属一脉,虽然其气血不如那些古人来得有气概。人们爱说假话,不是因为真理这条路太过困难和艰辛,也不是因为人们发现真理后,真理会束缚人们的思想,而是人们对谎言有一种与生俱来的堕落的爱。希腊晚期的一个学派[①]曾研究过这一问题,他不懂人们为何喜欢说谎,因为多数人不像诗人和商人,能因说谎受益。而我亦不明其中之故。"真理"如同毫无掩饰的白昼之光,用它来照射舞会、戏剧中的世界时,还不及烛光的一半庄严优美。真理的价值也许就等于一颗珍珠,在日光之下看起来最是美好的,但却比不上那些钻石或玉石,它们在日光和各种不同光线下都有不同的美丽。所以,在真理中增添些谎言总是会平添几分乐趣。你是否想过,如果人们的思想中没有了虚妄的意见、自诩的希望、虚假的评价和想象等,就会成为可怜的、缩小了的心灵,充满忧郁和不快,连自

---

① Lucian 卢奇安,古希腊讽刺作家,又译琉善。

己也会讨厌自己。

一位耶教著作的圣父曾严厉地把诗称为"魔鬼的酒"。因为它虽满是想象，而终不过是谎言的影子。但正如我们之前所说的，害人的谎言不是偶然经过脑海的谎言，而是盘踞在思想中，深入内心的谎言。但无论这些事情在人们堕落的判断和喜好中曾起到过什么作用，真理却只受到其自身的评判，它教导我们追寻真理（向其求爱），认知真理（与之相恋），相信真理（乐在其中），让我们明白真理乃人性之至善。

上帝在造物时，创造的第一件东西是感觉之光，最后一件是理智之光。此后，每逢工作后的安息日，他都以其圣灵昭示世人。首先，他对着混沌的世界吹吐光明，然后把光明吹向人们的脸。直至今天，他仍然在对他所选中之人的脸上吹吐光明。有一个哲学派别[①]在其他方面不如别的学派，但有一个诗人[②]为这个教派光耀了门楣。他说得极好："站在岸上看船搁浅在大海里是非常愉悦的；站在城堡的一个窗口看战争也是非常愉悦的；但没有任何乐趣可以比得上站在真理的高度上（高出周围的一些山，那里的空气总是清爽平静的），看下面之人的错误、漂泊、迷雾和暴雨。"只是看到这种景色的人一定是怜悯的，而不是自我膨胀或骄傲的。如果一个人的心充满仁慈，以天地为家，然后以真理为轴，那么就可以说他是生活在人间的天堂了。

从神学和哲学的真理谈到世间生活的真理，那么即使那些行事并不正直坦诚的人也不得不承认正直坦诚是人性的光荣，而把谎言混合其中就同金银币中掺杂了合金一样，也许会使钱币用起来更方便，但是却降低了其价值。这些扭曲的行为像蛇一样：蛇不用脚，而用腹部卑贱地行

---

① Epicureans，伊壁鸠鲁派，是当时希腊的两大哲学学派之一，主张多神论，但偏向于唯物主义，以为人生的意义即是享乐；另一派别是Stoics，斯多噶派，主张泛神论，他们多骄矜自满，重修行和禁欲。

② Lucretius，卢克莱修，古罗马哲学家及诗人。

走。没有什么比被发现虚假和背信弃义更令人感到羞耻。因此蒙田在研究为什么撒谎是一件令人感到耻辱和可恶的事时曾说："仔细想来，如果一个人说谎，我们就可以说他是一个敢于面对上帝却怯于面对世人的人。"此语极妙，因为谎言躲过了世人，却确实要面对上帝。当然，谎言的邪恶还有信仰的破坏是不可能如此高调地表达的，那就像上帝用来审判的最后的钟声一样。有预言曾说：当基督回来时，他再也不能在世上找到信仰了。

论 死 亡

人类惧怕死亡，如同孩子惧怕黑暗；孩子天生的恐惧感会随故事的增加而增加，而人类对于死亡的恐惧亦是如此。当然，冥想死亡，将其作为罪孽的代价和通向另一世界的通途，是神圣且符合宗教教义的；而若将对死亡的恐惧看作对自然的贡品，则是毫无说服力的。在宗教的冥想中，有时会掺杂空虚和迷信。大家应该在修道士苦行的书中读到过，一个人应该自我思量，假如自己的手指被夹指棍夹住拷问折磨的话，那该是怎样的痛苦，继而想象当整个身体都腐烂融解时，死亡的痛苦又当如何。其实，很多时候死亡的痛苦要比肢体的折磨来得轻些；因为人体赖以生存的最重要的器官并不是反应最灵敏的器官。一位仅有哲学家和普通人身份的塞内卡人说得极好："伴随死亡而来的东西比死亡本身更恐怖。"呻吟和痉挛、变色的脸、朋友哭泣、丧服和葬礼，诸如此类的东西都显示了死亡的恐怖。值得注意的是，人类内心的情感再薄弱，也能克服对死亡的恐惧。因此当一个人有许多的侍从来帮助他打败死亡的时候，死亡也就并不那么恐怖了。复仇之心，战胜死亡；爱怜之心，蔑视死亡；荣誉之心，渴求死亡；悲痛之心，扑向死亡；恐惧之心，预感死亡。不但如此，我们在书中①还读到，奥索大帝自杀后，哀怜（最温柔的一种感情）惹得许多人都死亡了，这不仅是因为对他们君王的怜悯之情，还有作为最忠诚的追随者的缘故，还因为赛涅卡对此加上了挑剔和厌腻："想一想你们已经做同一件事情多久了。一个勇敢的人或者一个悲惨的人盼望死亡，一个挑剔讲究的人一样渴求死亡。"一个人既不勇敢也不沮丧，但若疲于反复做同样的事情，也是会想死的。还需注意，一些精神抖擞的人在死亡时是没有多大改变的，直到最后一刻也还和以前一样。奥古斯都大帝死的时候还在赞美他的皇后："永别了，利维亚，不要忘记我们婚姻中的日子。"泰比瑞亚斯死的时候还在掩饰，正如塔西佗所说："他强壮的身体都消失了，但他强大的掩饰还在。"维斯帕先死时在说一个笑话，他坐在凳子上说："我认为我正在成为一个神。"戈尔巴死的时候说："砍吧，如果这对罗马有利。"说话间就伸出了他的脖子。塞维鲁斯死的时候说："如果还有任何我可以做的事，就是让死亡来吧！"等。当然，画廊学派给死亡赋予了太多价值，并且为死亡做了巨大的准备工作，使它的来临显得更加可怕。有句话说得好："把生命的终结当作大自然给予的恩赐。"死亡同出生一样是自然的，也许同小婴儿相比，它更痛苦。死于激烈行动中的人，就像热血沸腾的时候受伤一样，很少会感觉得到痛。因此坚定的思想和向善的心可以减少死亡的痛苦。但是，首先你要相信，最甜蜜的圣歌是一个人在已经获得了有价值的目标和期望时所唱的："现在，让你离开"。还有一点，死亡将打开名誉之门，浇熄嫉妒之火，"生时被嫉妒的人，死后会被人爱。"

论宗教统一

宗教是维系人类社会的主要团体，当它很好地统一于真正的团体之中

---

① 这里指Plutarch，普鲁塔克的《传记集》。

时，自然是一件很好的事。异教徒中鲜有关于宗教的争论和分歧，这是因为异教徒没有恒久不变的信仰，而只是日常典礼和礼仪。当你看到他们的主教和长老是诗人的时候，也许就能想象他们的信仰到底是什么样的了。但是真正的上帝有这样的特征，即他是一个"嫉妒的神"；因此对他的崇拜和此宗教不能容忍杂质和伴侣。所以我们应该谈论一些关于教会统一的事：其结果是什么，界定是什么，又意味着什么。

统一的结果（总的来说是使上帝满意）有两个：一个是对教会外的人，另一个是对教会内部的人。对于前者，异教和分裂无疑是最大的丑态，比失落的文明更甚。譬如在肉体内，持续的创伤或分解比没落的幽默更糟；精神上也是一样。因而没有比"统一的破坏"更能使教外之人不入教，教内之人想出教的了。因此当到了那个阶段时，你便能听见有人说："看，在荒漠中。"又有人说："瞧，在圣地里。"那就是说，一些人在异教徒的秘密聚会上找寻基督，一些人在教堂的外壁上找寻。那个声音不停地在人们的耳朵里回响："不要出去。"①圣保罗博士（他的使命感使他对这些教会外的人特别关心）曾说："如果一个异教徒走进来，听到你们七嘴八舌地交谈，难道他不会说你们疯了吗？"显然，当无神论者和世俗之人，听到如此之多的宗教不一致甚至相反的观念时，情况也不妙；这会使他们避开教会，"坐上藐视者之位"。幽默大师拉伯雷幻想的藏书系列中，有一本名为《异教徒的莫里斯舞》。

这一小事便可证明这一严肃的问题，虽然略显不庄，但确实能很好地表达其坏处。因为每一个异端流派都有其不同的态度和可恨模样，这些必然使世俗轻薄和下流的政客肆意讥笑，而这些人本来就是易于污蔑圣物的。

至于宗教统一的结果，对于教会内的人来说，就是和平——蕴涵着无穷的恩典的和平。它树立信念，激发仁爱；使得教会表面的和平净化成良

---

① 以上三句均出自《马太福音》。

心的和平。它还将论著的读、写工作应用到屈辱和奉献方面的专著。

接着谈统一的界限,这个真正的界限是极其重要的。这将显露出两个极端。对于狂热者来说,所有和解的言语都是可憎的。"耶稣,是和平吗?他与你有什么关系?快回到我身后来。"和平不是问题所在,而是拥护者和党派。反之,那些冷淡不热心的人认为他们或许可以用折中,或二者兼得,抑或巧妙的和解方式容纳宗教的观点,就好像他们要在人类和上帝之间做一个仲裁一样。这两种极端都是可以避免的,方法就是基督徒联盟,或与之相类似的战争联盟。他们自己所写的两条论述既明智又清晰:"所有不与我们同在的就是反对我们的。""所有不反对我们的就是与我们同在的"[1]就是说,要把宗教的基本观点和主旨同那些并不纯粹属于信仰的而是关乎观念、秩序或者好的意图的观点区别开来。这对于许多人来说似乎只是一件普通的小事,并且已经做到了。但是如果这件事不那么完全地执行,拥护它的人将更多。

基于此,我也许只会根据我的小模式贡献意见。请勿以两种争论来分裂上帝的教会。一种是,被争论的关键点过于微小,不值得激动和争吵,这些都是因为矛盾激起的。如同一位奠基人所写的那样:"基督的外衣确实是无缝的,但教会的外衣确有着不同的色彩。"因此他说:"让这件衣服有变化,但不要有分裂。"统一和一致是两码事。另一种争论是,当被争论的关键问题很大,但是后来变得微妙和隐晦,以至于这件事不切实际了。一个有判断力和理解力的人应该时不时听听无知的人的不同意见,并且知道他们所谓的不同,其实是同一件事,但是他们自己不会认同。如果能越过人与人之间判断力的差距而理解到这层意思,那么能否这样想:我们之上的上帝,能明白世人的内心,他难道不能辨明处在矛盾中脆弱的人其实想表达的是同一件事吗?因而也就能接受双方的意见了。关于这样的

---

[1] 出自《列王记》。

争论的性质，圣保罗在警告和箴言中表述得很好："避免世俗的新奇术语和反对真道的伪学问。"人们创造的敌对其实并不是真正的敌对；把这些敌对如此确定地列入术语中，以为意义会支配术语，而实际上是术语支配了意义。这里也有两个错误的和平与统一：一个是当和平置于低地但高于愚昧的时候，因为所有的颜色都会在黑暗中变得一样；另一个是直接承认反对的要义，然后在其基础上拼凑而成。真理和谎言在这些事情中，就如尼布甲尼撒二世想象中脚趾上的铁块和泥土一样，也许可以分割开来，但却不能融合。

有关宗教统一的方法，人们须当心，不要在取得或增强宗教统一的过程中，消灭或损毁了仁慈的大义和人类社会的法则。在基督徒中有两把剑：精神之剑和世俗之剑。这两把剑在宗教的维护上都有它们应有的用途和地位。我们不可以拿起第三把剑——穆罕默德用血腥的迫害来强迫人的内心来传教——除非是明目张胆的丑事，对上帝的亵渎，或谋反，或滋长叛乱，才应把剑交付于人民的手中，授予他们处理密谋和反叛的权利，处理类似想要颠覆统治（上帝所定之条例）的行为。如不避此种种，无异于将记录上帝旨意的第一块石碑与第二块猛撞①，或把人类当作基督徒，而忘了他们是人。诗人卢克莱修看见阿伽门农能够承受自己女儿的牺牲时，惊叹道：

"宗教竟能让人做出如此病态的行为。"

如果他知道法国的大屠杀（1572）和英国的火药谋反，他又会说些什么呢？也许他会七倍于原来的自己，成为更加注重享乐和无神论的人。因为那把世俗的剑在因宗教拔出时，更加地谨慎小心；所以将它放在普通民众的手中是一件极其令人震惊的事情。就把这种事情留给那些重侵派和其他的恶魔吧。当魔鬼说"我将会上升如至高"时，即是对上帝极大的亵渎；

---

① 出自《出埃及记》。

但是更大的亵渎是装成上帝，然后以上帝的名义说："我要下降到如邪恶之王。"使宗教存在的原因下降到可以残忍谋杀君王、屠宰人民、颠覆国家和政府的统治，这样的行为算得上更好吗？当然，这是降低了圣灵的格调，不是绘作鸽子的肖像，而是类似秃鹫或者渡鸦形状的，把教会的旗帜设置成海盗和暗杀者一样。因此教会借助教条和法令，君王们借助他们的剑，基督徒和学问界借助召唤的力量，把所有这些有相同的行为和有意支持这些行为观点的人送往永恒的地狱，如同在很多好的方面已经做到的一样。当然，在有关于宗教的忠告中，那位使徒①的忠告应被加在前面，"人类的愤怒不能铸就上帝的正义。"一位睿智的奠基人曾说："凡是施行或劝人压迫他人良心的人，多半是为了自己的利益。"这句话值得注意，也确实为人所接受了。

论 复 仇

复仇是一种野性的审判。人类的天性越是趋向它，法律就越应除去它。因为虽然它的第一个罪恶只是触犯法律，但是这件罪恶的举动却使法律失去了地位。无疑，复了仇，这个人就和他的敌人平等了。但是抛去仇恨，他就比他的仇人高一等了。因为宽恕是君王所需要的一部分。我确信所罗门所说："宽恕他人的冒犯是一个人的荣誉。"过去的事已经过去了，已经不可反转了。明智的人有足够多的现在和将来的事要做，因此他们不会轻视自己，让自己为以前的事奔波。没有一个人会为了作恶而作恶，而都是为了获得利益、欢乐、荣誉，或者类似的东西而奋斗。因此，为什么我要因为一个人爱他自己比爱我更多而生气？如果有人仅仅因为性情乖僻作恶，那又该如何看待呢？不过是像荆棘或者石南，除了刺伤他人

---

① St. James，圣·詹姆斯。

之外，什么也不能做。最能容忍的一种复仇是报法律不能制裁的仇。但是复仇的人也要吸取经验，让复仇的行为也没有什么法律能惩罚。不然仇人仍占领先地位，吃亏的程度是二比一。有些人在复仇的时候，希望当事人知道他是为何而来的，这也是种宽宏大量。伤害他人的感觉不如使当事人忏悔来得愉快。但是一些不入眼的小角色和狡猾的懦夫就像飞在黑暗中的箭一样。科斯姆斯，佛罗伦萨的一个公爵，有一个针对背信弃义或忘恩负义的朋友的犀利言论，他似乎认为这些罪恶是不可饶恕的："你也许读到过要求我们原谅我们敌人的文字，但你绝不会读到我们应该原谅我们朋友的说法。"然而约伯的精神似乎在一个更高的格调，他说："我们只愿从上帝手中拿到好的东西，而不愿取走邪恶的东西吗？"这是理所当然的，一个人天天研究复仇，他的伤口就一直好不了；而当你停下复仇的心思，伤口就会痊愈如初了。公众的复仇大多结局较好，例如为恺撒之死复仇，为佩里提娜斯之死复仇，为法兰西亨利三世复仇等许多类似的复仇。但是个人的复仇却往往不是如此。不仅如此，心怀仇恨的人们通常生活在充满恶魔的生活里。这些人活着的时候于人不利，死时也于己不幸。

论 困 境

赛涅卡曾仿照画廊学派提出一个高论："我们期盼幸运带来的福祉，但更应赞美厄运带来的意外收获。"无疑，如果奇迹是超自然的东西，那么它们大多都出现在逆境中。此外，他还有一个更高明的言论（对于异教徒来说就太高了）："一个人拥有人类的缺点和上帝的安心才是真正的伟大。"这句话若出现在诗歌中就更好了，因为诗歌似乎更能创造卓越。不过诗人真的常用这句话，因为这句话就是古诗人那篇神秘小说（似乎没有神秘就没有深意了）中表述的；不但如此，还有一些接近基督徒的状况，即当赫拉克勒斯去解放普罗米修斯（象征人之天性的神）时，在一个瓦盆或瓦罐里渡过了大海，逼真地刻画出基督徒以血肉之躯渡过世界上滔天大浪时的坚毅。平实一点讲，幸运所造就的品德是节制，而厄运所造就的品德是坚韧；从道德上来说，后者是更为英雄化的品德。幸运是《旧约》的赐福，厄运是《新约》的赐福。厄运带来更大的祝福，更清楚地显露了上帝的喜爱。如果在《旧约》中，听大卫的竖琴音，你大概也能听见如颂歌一样多的哀乐；而且圣灵的笔描述约伯的苦难比描述所罗门的幸福更吃力。幸运不是没有恐惧和疾病，苦难也不是没有安慰和希望。在缝纫和刺绣中，我们可以看到在暗黑色严肃的背景上绣生动的图案，比在明亮的背景上绣深色悲伤的图案更令人愉悦。因此可以从眼睛的愉悦来判断心灵的愉悦。无疑，美德有如名香，焚烧压碎后更芬芳。因为幸运将弱点显露到极致，而厄运将美德发挥到极致。

论伪装与掩饰

掩饰不过是一种较弱的策略或智谋，因为它需要超常的心智和强大的内心，知道什么时候该说真话，做真事。因此，政治家中较弱的一类往往更善于掩饰。

塔西图斯说："利维娅把她丈夫的技艺和她儿子的掩饰融合得非常好。"奥古斯塔斯擅长技能和谋略，提比略擅长掩饰。当努斯鼓动维斯帕西安用武力反抗维梯留斯时说："我们起事不是反抗奥古斯塔斯尖锐的判断，也不是反抗提比略极度的小心谨慎或严密。"技能或谋略、假装或严密，这些特性确实是一些习惯和才能，并需辨明。因为如果一个人有判断的敏锐性，他就可以辨明什么事情可以公开，什么事情应该保密，什么事情需要半明半露，以及该对谁说、何时说，正如塔西图斯所说的，这是治理国家和处世的技巧。对他来说，掩饰的习惯是一种阻碍、一个弱点。如果一个人不能获得敏锐的判断力，那么他就只能趋于隐蔽，成为一个掩饰者。如果一个人不能在具体情况下选择或变化，那么他一般会选择对自己最安全、最谨慎的方法，就像视力弱的人走得轻且慢。无疑，最有本事的人都是公开坦率交易的，有着诚信诚实之美名。他们像接受过良好训练的马一样，能辨别什么时候停止，什么时候转向。有时，他们认为这件事确实需要掩饰，而也就真的掩饰了，那么过去观念中他们虔诚的信仰和正直的行为会使人们相信他而不为人所疑。

自我掩藏有三个层次。第一层是缄默，有所保留和保密，即一个人不让别人有机会看出或推断他的为人。第二层是掩饰，是一种被动的方式，即一个人故意露出端倪，教别人错认他的为人。第三层是伪装，是主动的方式，即一个人努力和刻意伪装成一个虚假的自己。

这里的第一层——缄默——是能听到自白和忏悔的品德。的确，缄默的人能听到许多自白和忏悔。谁会愿意将自己的秘密透露给那些爱多嘴和胡说的人呢？但一个人越是缄默，就越有爆发的一天，就像压缩空气一旦打开会占据更多的空间。又如在教堂忏悔，那并不是因为真相对现世有多重要，而是人们为了内心的舒坦。所以缄默之人得以了解更多的心事；但比起增加心事，人们更愿意宣泄心事。简言之，缄默之人更易于发现秘密。此外（说实话），裸露是不美的，不管是身体上的，还是精神上的。如果一个人不是完全地展露自己，那么他的态度和行为将为其赢取不小的尊敬。至于健谈之人和胡说之人，他们通常都是自负且容易受骗的。因为他能谈论他所知道的，也能谈论他所不知的。因此"保密这个习惯于处世和修身都是有益的"。从这层意思来讲，人脸的好处在于有一张可以自由谈论的嘴；但另一方面，人脸也有其缺点，因为表情往往成为极大的弱点而常常出卖自己。这一点根据表情受人关注和信任之多甚于言辞便可知。

第二层是掩饰。掩饰大多数是紧随缄默而来的，并且是必要的。因此一个人如果想变得缄默，他在一定程度上就要掩饰。因为人们太精明，他们不能容忍一个人在两个问题间保持漠不关心的态度，不偏袒任何一方。所以他们会用问题来包围他，引诱他，设法探出他的想法。因此，除非他真能缄默到底，否则必会表现出对某一方的倾向；又或者即使他什么也没说，人们也会从他的沉默中推测出类似的信息，如他自己说了一般。至于模棱两可的话，更是不能持久的。所以没有人是能够真正缄默的，除非他给自己留有一些掩饰的余地。从某种程度上说，掩饰不过是缄默的裙裳或随从。

但对于第三层，伪装和造假，除非是在极其重大和稀少的事件中，我认为都是该受到谴责的，它无关乎策略。因此，伪装的习惯（即掩藏的最后一层）就是一种恶习。形成的原因要么是天性的恐惧或虚伪，要么是心智的重大缺陷，如此才需时时伪装而掩人耳目，又因怕生疏此道而在其他很多事情上也伪装了起来。

掩饰和伪装有三个好处：其一，可以迷惑反对者，并且出其不意。因为一个人的意图如果公布了，就成了唤醒所有反对者的警钟。其二，可以给自己留一条不错的退路。因为如果一个人明说要如何，那么他就只能死干到底或者接受失败。其三，能更好地了解他人的想法。因为对那些公开展现自己的人，人们几乎不会表露出反对，而会让他继续公开自己，并且使其言论自由转变为精神自由。因此有一句很精辟的西班牙谚语"说一个谎就找到一个真理。"似乎除了伪装再也没有其他发现的途径了。掩饰和伪装也有三个坏处：第一，伪装和掩饰通常带有一种惧怕的表现。这种惧怕的表现在任何情况下都会损坏飞往目的地的羽翼。第二，伪装和掩饰会迷惑许多人的内心，而被迷惑的人也许会和它合作。伪装和掩饰使得一个人几乎独自走到尽头。第三，也是最大的坏处，它剥夺了一个人行为中最主要的工具：信任和信念。最好的结合是有坦白的名声、缄默的习惯、适当的掩饰，以及在没有其他办法的情况下拥有伪装的能力。

论父母与孩子

父母的乐趣是不足为外人道的，他们的忧虑和畏惧也是如此。他们既不会说出其欢欣，也不会说出其忧惧。子女能使辛劳变得甜蜜，但也会使不幸变得更苦。子女给父母增加了生活的负担，但也减轻了死亡的痛苦。繁衍是人类和动物共有的，但是记忆、美德和高贵的作品是人类特有的。当然人们也应当看见许多伟大的事业和创办都是由一些无子嗣的人所做的。他们设法表达出他们身体所不能表达的精神图像。所以没有后代的人对后代的关心是最多的。那些树立家业的人，对子孙也最是放纵。他们不仅把子嗣看作家族的延续，也看作他们事业的延续。因此当子嗣成了他们所创之物的延续时，他们才会那么珍惜和溺爱。

父母对自己的几个孩子，其感情大多是不平等的，有时甚至是不相称的，尤其是母亲。如所罗门所说："一个聪明的儿子使他的父亲高兴，但是一个不礼貌的儿子使他的母亲蒙羞。"大家应该发现，在一个多子女的家庭中，一个或者两个最年长的受尊重，最小的一个会被宠坏，而居中的几个则好似被遗忘了，但事实证明他们其实是最优秀的。父母在零用钱上对子女的吝啬是一个有害的错误。这使得他们以此为基础，精于计谋，结交卑鄙自私的伙伴，在富庶后过度饮食。因此父母保有对子女的权威，而不是他们的钱包，这才是最好的。人们有一种愚蠢的习惯（父母、教师和仆人都是）：在孩子们童年时，就在他们之间制造和培养竞争。这使得他们长大成人后也经常制造纷争，扰乱其家庭。意大利人对待自己的孩子、侄子以及近亲几乎没有什么区别，他们不在乎这个孩子是不是自己亲生的。而且，说真的，自然界更是如此。由此我们也可以看到，一个侄子有时候比起他的父母更像他的叔叔或者某一位亲属，这是血缘在起作用。父母应及早为子女选择他们的职业和课程，因为那时他们最听话；同时又不要过分干涉，以为子女会以自己觉得最好的而收益最多。的确，如果孩子的喜爱或才能超群，那么最好不要反对。但是普遍的箴言是："选择最好的，习惯会使它变得愉快和简单。"兄弟中年纪小的通常是幸运的，但年长的被剥夺了继承权的也是罕见或绝没有的。

论结婚与单身

有妻子和子女的人已经向命运交了抵押品，因为妻子与子女是大事业（无论是大善还是大恶）的阻碍。因此事业最辉煌的人和对公众最有益的人，都是没有结婚或没有子嗣的人。这些人在感情和金钱上都可以说是与公众结婚并投资了。那些有孩子的人必然最关心将来，他们知道必须给最爱的人以保证。有些人虽然过着单身生活，但是他们的思想却仅限于自身，并且认为未来与他们无关。不但如此，另一些人认为妻子和子女仅仅是几项开销。更有甚者，一些愚蠢而又贪婪的富人以没有子嗣为傲，因为这样他们就会被认为更有钱。也许是因为他们听到了一些言论，比如"某人非常富有"，但其他人反对说："是的，但是他有子女需要负担。"好像子女是他财产的折扣一样。但是最普通的单身原因是自由，尤其对于有自恋和反复无常思想的人来说。这些人对束缚非常敏感，他们几乎认为他们的腰带和吊袜带都是镣铐。未婚的人是最好的朋友、最好的主人、最好的仆人，但并不是最好的臣民。因为他们很容易逃跑，而几乎所有的逃亡者都具备那样的条件。单身生活适合于传教士，因为如果慈爱最先注满了池子，就几乎不能抛向大地了。单身对于法官和治安官来说就没什么关系了，因为如果他们油嘴滑舌并且腐败，则有一个仆人的坏处将五倍于有一个夫人。对士兵来说，我发现将军在奖励他们时，通常提醒他们想一下自己的妻儿。我认为土耳其人对婚姻的不尊重使那些粗俗的士兵更加低贱了。当然，妻子和子女是一种人性的训练，尽管单身的人很多时候都更显慷慨，因为他们的财富不易耗尽，然而另一方面，他们更加残忍和无情（作审问官正合适），因为他们内心柔软之处很少被唤起。庄重之人易受风俗引导，因而心志不移的多是情爱甚笃的丈夫，就像尤利塞斯说："他喜欢他的老妻甚于永生。"忠于丈夫的妇女通常是骄傲不逊的，一如她们自己对贞洁的自持。如果她认为自己的丈夫有才智，那么这就会成为其贞洁和顺从的理由。但如果她发现自己的丈夫妒忌心重，就再不会认为他有才智了。妻子是青年男子的情人、中年男子的伙伴、老年男子的护士。只要一个男人愿意，他就必然有借口结婚。但是泰利斯，一个智者，在回答"一个人应该什么时候结婚"这个问题时答道："一个年轻的人还不应该，年长的人根本不应该。"我们通常会见到一个不好的丈夫有一个非常好的妻子，也许是因为他会偶尔显露的优点，也许是妻子以其忍耐力为傲。但有一点是不会错的，即如果这个坏丈夫是她不顾亲朋好友的反对而选择的，那么她就必定会努力补救自己的失策。

论 妒 忌

除了爱情和嫉妒，没有任何一种感情能令人神魂颠倒、心醉神迷。这两种感情都有强烈愿望，很容易使自己陷入想象和假设的旋涡，尤其是对象在场的时候。如果真有蛊惑这样的东西存在，这就是导致蛊惑的地方。我们同样可以看到《圣经》里把妒忌叫作邪恶之眼；占星家称星宿的坏影响为"恶容"；所以世人似乎承认，当嫉妒行为发生时，嫉妒者会眼红或放出光。不但如此，一些人好奇之甚，观察到嫉妒的眼神冲击力最大的时候，是被嫉妒者沐浴在荣耀和胜利之中时，这会使得妒忌更加锐利。而且，这时被嫉妒者的精神多显露于外表，因此易受到这种打击。

暂且不管这些玄妙的地方（尽管在某些方面它们并非不值得思索），我们先谈谈什么人容易嫉妒，什么人会遭人嫉妒，以及公妒和私妒有什么区别。

自己没有美德的人，总是妒忌别人的美德。因为人的思想要么以自己的好处为食，要么以别人的坏处为食，并且想拥有这一种就会打压另一种。而当人们没能达到他人所预期的美德时，就会设法压制他人所有以寻求平衡。

一个多事且爱打探别人隐私的人通常是易嫉妒的。因为知道他人许多事情绝非是由于所有这些事都与他本身有利害关系。因此，原因只有一个，即他抱着一种旁观他人福祸的娱乐心态。一个只关注自己事情的人，也不会有闲情找很多事情来妒忌。因为妒忌是一种游荡的热情，宁愿在街上行走也不愿在家逗留，所谓"未有好管闲事而不心怀恶意者也"。

出身高贵的人对新崛起的人都有嫉妒之情。因为距离改变了，这像一种视觉上的错觉，当别人赶上来时，他们认为自己退步了。

残疾之人、宦官、老人和浑蛋，都是满怀妒忌的。因为他们无法改善自身的情况，于是会尽其所能损害他人的状况。除非这些缺陷照亮了勇敢和伟大的本性，使他们天生的缺陷成为荣耀的一部分。例如说一个宦官或瘸子竟做出了如此伟大的事，这简直使荣耀成了奇迹，像宦官纳尔西斯，像瘸腿的阿格西拉于斯和帖木儿。

那些在灾难和不幸中崛起的人也容易妒忌，因为他们和那些被时代不容的人一样，认为别人受到的伤害就是对自己苦难的补偿。

那些因浮躁与虚荣而想在许多方面都优秀的人也总是嫉妒心盛。因为他们不可能面面俱到，样样精通，而事实上每一方面总有强者胜过他们。这就是阿德里安君王的特性。他自恃在作诗、绘画和技艺上有过人之处，便极其妒忌诗人、画家和技师。

此外，近亲、同事以及发小，当平辈腾达之时，他们容易心生嫉妒。因为他们容易拿这些人和自己的运气相比，容易关注他们，对他们的记忆更容易在头脑中闪现，相比其他人，这些人更能引起他们的注意。而嫉妒之心总是随着言论和名誉加倍的，亚当的献祭更受上帝喜爱时并无旁人在场观看，否则，该隐对他兄弟亚伯的嫉妒将更为卑鄙和邪恶。以上便是关于容易嫉妒的人的话了。

接着谈一些或多或少容易受到嫉妒的人。首先，德行高尚的人，其德行愈增，被嫉妒的可能性愈小。因为他们的所得是理所当然的。没有人嫉妒付出，而只嫉妒赏赐。其次，嫉妒总是随比较而来，可以说没有比较就没有嫉妒。因此君主除了被君主嫉妒外，不受其他人嫉妒。然而要注意的是，微末之人在初升显贵的时候最受妒忌，渐渐地就没么受妒忌了；反之，有功绩和德行的人在他们福泽延绵，经久不息时易受到妒忌，因为尽管他们的功绩和德行不减，但光辉变暗，后起之秀的光辉使其失色了。

有高贵血统的人在攀升时受人嫉妒的较少，因为他们出身很好。此外，似乎攀升并没有增加他们更多的财富。嫉妒就像阳光，射在堤岸或陡峭的高地比射在一个平面热得多。同理，那些逐渐高升的人比一夜成名的人所受的嫉妒要少。

那些把他们的荣耀与辛苦、忧虑、危险联系在一起的人不太会遭受嫉妒。人们认为他们赚取荣誉非常辛苦，有时还会同情他们，因而抵消了嫉妒。因此你应当注意到那些深沉冷静的政治家，当身处高位时，总是哀叹自己的生活多么不快："我们正遭受着多么大的苦难啊！"并不是他们真的感受如此，而只是为了减少嫉妒罢了。但是这种苦难必须是别人加之的，而不是自己招致的。因为没有什么比不必要的野心更招致嫉妒的了；同时，位高者让所有下属官员都在自己的职权和身份范围内行事，是最能消除嫉妒的。如此，他与嫉妒之间就多了许多屏障。

那些凭借自己巨大的财富而傲慢无礼的人最易遭人嫉妒。为了显示自己的伟大，使自己满意，他们要么通过外在的炫耀，要么努力战胜所有的反对和竞争而达到目的；而聪明人则宁愿给嫉妒贡献点什么，在那些不太关系切身利益的事件中故意让人阻挠和压制。然而事实的确如此，公开坦白的举止（只要不带狂妄和虚荣）比狡猾和奸诈的态度要更少地受人嫉妒。因为后者似乎在表明他不配拥有那种幸运，并且像是清楚自己能力有限，这样只会使他人更嫉妒。

最后，来总结一下这部分。如本文开篇所言，嫉妒的行为是带有几分巫术的，所以除了治疗巫术的方法外，没有其他治嫉妒的方法，也就是把魔咒（他们这么称呼的）移到别人身上去。为此，有智慧的大人物总是把其他人推向舞台来转移那些可能会降临到他们身上的嫉妒，有时这些嫉妒落在部长和雇员身上，有时落在同事和伙伴身上，如此种种。然而为了这种事情，绝不会缺少一些天性莽撞而愿意承担的人，因为他们只要能获得权位和事务，将不惜付出任何代价。

现在且来谈谈公众的嫉妒。公众的嫉妒还有一些好处，但私妒则没有。因为公众的嫉妒就像放逐，在人们过于位高权重时能压制他们。因此公众的嫉妒是对大人物的一种制约，把他们限制在一定范围内。

这种嫉妒，拉丁语称作"invidia"，用现在的话说就是"公愤"。关于这点我将在叛乱篇中再说。这种嫉妒是一种可以在国家中传染的疾病，其病毒蔓延传播，感染健康的人。所以当嫉妒进入国家变成公愤后，甚至会中伤这个国家最好的举措，使它们变得恶臭。因此政治家把值得称颂的和不得人心的举措混合在一起并没有什么好处。那么做不过是一种懦弱，只能表现出对嫉妒的恐惧，而这对国家是不利的。嫉妒就如同病毒，你越是惧怕，就越容易感染。

这种公愤似乎主要会打击重臣或大史，而不是国王或帝制本身。但确有这样一条可靠的定律：如果重臣招致的嫉妒很甚，但他自身引起的原因很小，或者如果嫉妒遍及国家制度下的所有官员，那么这种嫉妒（虽然是潜在的）实则是针对国家体制本身了。关于公妒或公愤就这些了；至于它与私妒的区别，第一个部分已经说了。

关于妒忌这种情感，我再从普遍意义上添几句：它是所有情感中最复杂、最难缠的，因为其他感情只会在特定的场合出现。有句话说得好："嫉妒是没有假期的。"因为嫉妒总是在某些人身上活动。此外，还有人说爱和嫉妒使人憔悴，这也是其他情感做不到的，因为其他情感不如爱和嫉妒持久。嫉妒也是最卑鄙、最堕落的情感；所以说嫉妒是魔鬼的特质。魔鬼被称作"夜晚在麦田里种稗子的嫉妒者"。是的，嫉妒在暗夜行事，它嫉妒麦子，所以种稗子来伤害它。

论　爱

　　爱情在舞台上的价值大于在生活中的价值。因为在舞台上，爱情永远都是喜剧，偶尔才是悲剧；但在生活中，爱情带来的大多是伤害。时而像一个魔女，时而像一个复仇女神。你可能已注意到，在所有伟大和有价值的人中（那些被人们所铭记的，不论古代或现代的），没有一个人沦落到为爱疯狂的程度。这表明，伟大的精神和伟大的事业能将这种柔情排除在外。但必须把罗马帝国的半个执政人马库斯·安东尼和作为古罗马十大行政官之一的立法者阿比乌斯·克劳迪亚斯除外。因为前者确实是一个荒淫无度的人，而后者是一个严肃且智慧的人。如果看守不是那么严的话，好像（虽然很难得）爱情不但能找到开放的心灵的入口，也能进入筑了堡垒的心房。伊壁鸠鲁有一句不那么好的话："每个人对于其他人来说都是一座足够大的剧院。"好像生来本该注视天堂和高贵之物的人，除了跪在小小的偶像之前就什么都不该做了，把自己做成奴隶（如禽兽一般），尽管不是为口舌之欢，而是为眼目之乐（因为眼目是上帝赐给人类追寻高贵用途的）。注意爱——这一情感的增加以至于过度，以及它如何不顾天性和事物的价值，是一件奇怪的事。并由此可见，以往所见的夸张言辞常出现在爱情里。有句话说得好，那些卑躬屈膝的奉承者都是有智慧的，是一个人的自我。当然爱情更是如此。因为无论一个人如何骄傲，其对自己的评价也没有他在爱人眼中那样荒谬。有句话说得好，"要恋爱又要明智，那是不可能的。"这种弱点不会只向其他人显现，而不在爱人眼中显现。但若要在爱人眼中显示得最多，这爱须是相互的。因为爱情总是要回报的，不是相互的，就带有隐秘的轻蔑。这是一个正确的定理。根据这一定理，人们应该当心这种情感，它会使你丢失东西，甚至丢失自我。至于其他损失，诗人表述得很好：更喜欢海伦娜的人放弃了朱诺和帕拉斯的赏赐。因为无论是谁过于沉迷热烈的感情，都会遗失财富和智慧。这种感情会在人们脆弱的时候泛滥，即最幸运和最困窘的时候，虽然后者常被忽略。在这两种情形下，都会激起爱情，并使它更热烈，所以爱情是愚蠢的孩子。那些只承认爱情的人做得很好，他们使爱情留在自己的位置上，并且完全切断其和生活重大事件及行动的联系，因为爱情一旦干预事业，就会搅扰人们的前途，并且使人们没有办法让自己想要的结局成真。我不明白为什么武士最容易坠入爱情。我想这和他们喜欢酒精一样，因为危险的事物通常需要娱乐作为报酬。在人的天性中，对他人爱的倾向和行为，如果不在某个人或某些人身上显现，就会很自然地蔓延向许多人，使人变得仁慈宽厚，有时在天主教修士身上就可以看到这种现象。夫妇之爱创造人类，朋友之爱使人完美，而无度的爱则使人腐化卑贱。

论 高 位

人在高位时，是三重仆人——统治者或国家的仆人，名声的仆人和事业的仆人。所以他们是没有自由的，不管是个人自由、行动自由还是时间自由。这是一种奇怪的欲望：寻求权力而丢失了自由，寻求可以管制他人的权利却丧失了可以自主的权利。向高位的爬升是艰难的，人们经受痛苦以取得更大的痛苦；为了爬升，其手段有时是卑贱的，然而人们却借此达到尊贵的地位。这高贵的地位是不稳的，会退步或垮台，或者至少蒙上阴暗的色彩。这是一件很悲哀的事。"当一个人觉得他不再是他的时候，就没有理由再活下去了。"不但如此，人在退休之前需要对自己的生活耐心时没有时间耐心处理，等到退休了，有时间了，他们又不愿意了，这一点和关于年龄和疾病问题上的道理是一样的。就像城里的老人，他们直直地坐在街边的门口，毫不在意因为年纪而受到的轻视。无疑，大人物需要借他人之言来找寻自己的幸福感，如果以自己的感觉来评价，他们将找不到幸福感。如果他们想想别人是怎样看自己的，其他人也很乐意变成他们那样的人，然后他们就会像报道中所说的那样幸福了，尽管在他们的内心事实正好相反。他们是最先发现自己悲伤的人，却是最后发现自己错误之人。无疑，身居高位的人对自己是陌生的，他们穿梭于忙碌的事物之中，没有时间来照料自己，无论是身体上的健康还是精神上的健康。"一个人死的时候，所有人都知道了，只有他自己不知道。这是一个多么可悲的命运。"在位之人有做好事和做坏事的权力，后者是一个诅咒。因为谈到作恶，最好的情况是不愿意，其次就是不能。做好事的权力是纯正且合法的，因为对于人们来说，好的想法（尽管上帝接受）如果不能变为现实，也比做梦好不了多少。并且做这些事离不开权力和地位，如优势地位和指挥地位。价值和功德是人们行为的最终目的，有了这两样才会觉得人生满足了。因为如果一个人能成为上帝剧院的参与者，那么他就应该同样成为上帝其他部分的参与者。"上帝把目光转向他用手所创造的作品，看到一切都是非常好的"，然后就是安息日了。在你所处的位置前设置最好的榜样，因为模仿是箴言最完美的体现。过些时日，在你的面前设置自己的榜样，并严格地审查自己是否一开始就做到了最好，同时也不要忽视那些在同样职位却没有做好的例子。

不要通过谴责他人所做的事来抬高自己，而是要告诫自己应该避免什么。因此，改革不能自吹自擂或者以前人的丑闻来进行，而是给自己制定目标并以此创造好的范例。追溯最初的制度，看它们是怎样衰落的。但也要汲取两个时期的忠告：向古时候询问什么是最好的，向后一时期询问什么是最适合的。设法使你的进程有规律，这样人们就可以预先知道他们到底期待什么。但是也不要变得太乐观和专横，并且在当你偏离你的规则时可以表述清楚缘由。维护你所在位置的权力，但不要搅和司法权的问题。且宁可静静地获得你的权力，也不要用索赔和怀疑的语气去争论。同样，维护下属的权利，并且以在主位上指挥为荣，而不要以忙于所有事为荣。接受和寻求关于你的职位的帮助和建议。不要把带给你消息的人当作爱管闲事的人，而要接受他们的好意。权力的坏处主要有四个：延迟、腐败、粗暴和易受诱惑。关于延迟，给予舒适的通道，在指定的时间内完成手中的事，除非必要，否则不要让其他事务交错其间。关于腐败，不只要约束你或者你的下属不去拿，也要约束给予之人不要提供。因为正直是一个人的事情，但是公开声明正直，并对贿赂有分明的憎恶，就会影响他人；不仅要避免这种错误，也要避免这种嫌疑。无论是谁被发现有了改变，改变得非常明显却没有清楚的原因，就会有受贿的嫌疑。因此，当你改变你的观点或路线的时候，应清楚公开地声明，并说出导致你改变的原因，而不要偷偷地改变。一个仆人或亲信，如果他和你很亲密，没有其他明显的可取之处，其职位通常会被认为是行贿得来的。关于粗暴，这是引起不满的不必要原因。严格生恐惧，但是粗暴生厌恶，即使是官方的责难也应该是严肃而不是嘲讽的。关于易受诱惑，这是比受贿更糟糕的。因为受贿只是偶尔会有，但是如果纠缠不休或无根据地考虑诱使一个人，他将绝不会幸免。如所罗门所说："敬重他人是不好的，因为这样的人会因为一小块面包而越矩。"一句老话说得更真实："地位展示了这个人。"即，显示了一些好的方面，也显示了一些坏的方面。"一个没有当过君王的人，所有人都会认为他适合做君王。"这是塔西佗说戈尔巴的话，但是对于维斯帕西安，他说："他是唯一一个把权力的拥有变得更好的君主。"虽然第一个是关于统治能力的，另一个是关于习俗和感情的。一个人因为拥有权力而人格增进，这是他人格高尚而宽宏大量的佐证。因为权位是或应该是美德之所在。并且，如在自然界中，事物激烈地向某一位置移动，继而平稳沉着地保持在所处的位置，如同德行在努力时是猛烈的，在权位上却是安稳平和的一样。所有通往高位的攀爬都是通过曲折的阶梯的，并且如果有派系的话，最好在爬升的时候选择一派，在上位后保持中立。适当且温和地运用你前辈的经验，因为如果你不这样做，你将在江郎才尽后付出代价。如果你有同僚，请尊重他们，并且在他们没有期望被召请的时候召请他们，而不要在他们有理由召请的时候拒见他们。在谈话和私下答复请求者的时候，不要太过于自觉或过于记得自己的地位；反之，最好让人家说，"他在执行职务的时候，是另外一个人。"

论　勇

　　这是一篇微不足道的小学课文，但值得有智慧人的深思。有人问德摩斯梯尼，演说家最重要的东西是什么？他回答说，姿态；又问：其次呢？姿态；再问：接下来呢？姿态。他说了这些，并且最明白这些道理，而他并没有他所称赞的这些天生的优点。真是奇怪，姿态对于演说家来说只是表面的一种才能，而且更像是演员的德行，但却被抬得如此之高，高于创造、演说和其他一些技艺。不但如此，似乎它已经成为独一无二的、全部的。而事实上原因却是显而易见的。人的天性中常是愚蠢多于聪慧，因此那些最能触动人们思想中愚蠢部分的技能才是最强大的。与此极为相似的就是世务中的勇敢：首先是什么？勇敢；其次和再次又是什么？勇敢。可是勇敢是愚昧和卑贱的产物，比起其他东西更加低等。尽管如此，它能迷惑并约束那些见识浅薄或勇气不足的人，而这种人又是数目众多的；勇敢甚至还能在聪慧的人意志脆弱时将其说服。因此我们可以发现勇敢在民治国家创造了许多奇迹，但是在有参议院和君主的国家则少见。而且勇敢总是刚开始的时候比后来有效,因为它不善于信守承诺。如同治病的庸医,或是政治团体的江湖骗士,他们担保会有奇效,甚至在头两次中也确实如他们所言,但这都是靠运气,缺乏科学真知,因此不能长久。而且,你应该看到过胆大的小伙多次试验穆罕默德的奇迹——穆罕默德让人们相信他可以召唤山丘,然后在那座山顶上为信奉他信条的信奉者祈祷,于是民众聚集在了一起;当穆罕默德一次又一次地召唤山丘来到他身边时,山丘终于屹然不动了。而此时,穆罕默德一点也不觉得窘迫,而是说:"山不来就我,我便去就山。"所以那些人承诺了一件很大的事而又可耻地失败时——如果他们有完全的勇气——他们依然可以忽视这种耻辱,轻轻略过,转向其他的事,而不再回顾。无疑,对于有敏锐判断力的人来说,勇敢是用来观看的,并稍微有点可笑;而对于一般民众而言,其实也是如此。如果荒谬是笑话的主题,那么你不用怀疑,大勇者鲜有不伴随着荒谬的。尤其是当一个勇夫被揭穿而失败时,就更加可笑了,因为此时他的脸犹如被罩上了一个缩小且呆滞的面具。这是必然的,因为在失利和羞愧中,人的精神确实是有些游离和不定的;但对勇夫而言,他们在上述情形中是呆滞的,就像下棋下成和棋,虽然不算输,却不能继续进行了。这话似乎更适合讽世的文章,而不适合严肃的评论文。但有一点是值得考虑的,那就是勇敢是盲目的,因为勇敢看不见危险和麻烦。因此勇敢在议论中是有害的,在行事时是有益的。所以勇者的适当用途是:绝不能任命他为领导,而要作为副手,并要听从他人指挥。所以议论时,最好能看到危险;而行事时,最好别去看,除非是极大的危险。

论善与善性

我把善良这样定义,即有利于人们的人和事。也就是希腊学家所说的"善"(Philanthropia),而"人性"(Humanity)这个词(像它所用的那样）用来表达善良又显得有一点过轻。我把习惯的善叫作善良，爱好的善叫作天性善良。这是精神的一切美德和高贵中最伟大的，是属于神的特性。如果没有它，人们就只是一种忙碌、顽皮又恶劣的东西，并不比害虫好多少。善良和神学上的美德、慈爱相符合，并不会过度，只是有过失。对权力的过度渴望使天使堕落，对知识的过度渴望使人堕落。但是对于仁慈来说，是没有过度这一说法的，不管是天使还是人类都不会因为它陷入危险。善良的爱好是深深地烙印在人们天性中的，因此，如果它不是传给人们的话，也会带给其他的生物。因为这是可以从土耳其人身上看出来的，一个残忍的种族，然而对于兽类却很仁慈，并且给狗和鸟施舍东西。由此如同伯斯贝丘斯所述的那样，君士坦丁堡有一个基督教的男孩因为恶作剧堵住长嘴剑鸻的嘴而被人扔石头。在这种善良或仁慈的美德中确实容易犯错。意大利有一句骂人的话："他太好了，好得一无是处。"意大利的一名学者，尼古拉斯·马基雅弗利曾自信且清楚地写道："基督教义把好人抛给那些专横不义之人猎捕。"他这样说，是因为确实从来没有法律、教派或学说像基督教那样赞美善良。因此，为避免诽谤和危险，最好去研究了解一下如此优秀的习惯以及其所言的错误何在。我们要努力利人，但不要成了他们表象和幻想的奴隶。因为如若那样，就容易受欺或懦弱，使得正直的思想被囚禁。也不要给《伊索寓言》中的公鸡宝石，如果它有一颗大麦粒，会更满意更高兴。上帝的例子真实地给了我们一些教训：上帝降雨给正义的人和不义的人，也照耀正义的人和不义的人。但是他不会在人们身上降下财富或平等照耀荣誉和美德。一般的利益是关乎所有人的，但特殊的利益是关乎被选中之人的。并且在临摹时要小心，不要损坏了原样。因为神学教我们：以爱己之心为原型，然后用以爱你的邻居，这就是对原型的仿作。"变卖你的所有，施以穷人，追随我；变卖部分，若未打算随我而去。"就是说，除非你有用微小财富行善但其效果等同巨大财富行善的才能，否则就是滋养了支流而枯竭了源泉。善良有被正确引导的，也有天性使然的；与之类似，恶性也有天性驱使的。因为有些人的天性中，就不关心他人利益。较轻的恶性使人或易怒，或刚愎自用，或好斗，或阴郁，如此种种；较深的恶性则使人嫉妒甚至纯粹的使恶。这样的人在他人的灾祸里繁荣起来，并且还落井下石，还不如舔舐拉扎勒斯（圣经中的麻风乞丐）伤口的狗好，他们就像在腐烂东西上嗡嗡直飞的苍蝇。那些"仇恨人类的人"总是把人们诱骗到橡树下然后将其吊死，可他们的花园里却没有泰门那样作此目的树。这样的天性在人类天性中是一项严重的缺陷，但却是铸就伟大政治家最合适的材料。就像曲木适合造船，因为船必定要受颠簸；但却不适合用来建房子，因为房屋需要牢固。善良有很多种，如果一个人对陌生人和蔼且彬彬有礼，表明他是"善"这一国度的公民，他的心不是与其他大陆隔断的孤岛，而是与各大陆连接在一起的一个大陆。如果他对他人的苦难同情，表明他的心有如那些愿意自己受割而要带给人类药物的高贵树。如果他易于宽恕冒犯，表明他的心灵安放在高于伤害的地方，所以自己不会被伤害到。如果他因小小的恩惠心怀感激，表明他看重人们的内心，而不是他们的坏处。但是最重要的是，如果他有圣保罗的完美，能够为了拯救他的同胞而希望被基督谴责，就显示出了许多神的天性了，和基督自己就有些一致了。

论 贵 族

关于贵族，我们先将其作为国家的一个阶级来谈论，然后再作为一种有特殊品质的人来谈论。一个没有贵族阶层的君主制国家是完全且绝对的暴政国家，就像土耳其人一样。因为贵族使君权缓和，并且把人们的目光从君主身上引开。但是对于民主国家来说，他们是不需要贵族的。这样的国家比起有贵族家族的国家而言，通常是平静且很少有叛乱的。因为人们的目光都放在事业上，而不是人身上。即使有人的目光停留在人身上，那也是因为事业的缘故；选取适当的人选，而不论其所代表的旗帜或血统。我们可以看到，尽管瑞士实行宗教多样化，行政区分也有很大的差异，但国家却延续得很好。这是因为维系他们的是实实在在的事业，而不是对在位者的景仰。低地国家（指荷兰、比利时、卢森堡）中统一的行政区化对统治非常好，因为在地位平等的国家，磋商就会更加的中立，缴纳和上贡也更使得人们愉悦。伟大而有说服力的贵族给君主增添庄严，但却减弱了君主的权势；给予了人们生存和精神，却抑制了他们的财富。贵族没有越过君权和国法，是极为恰当的；但同时仍需保持在一定的高度之上，如此，在地位低下之人想犯上的时候，其桀骜之气就会在冲击君王威严之前与贵族冲撞，以此分散其势力。但过多的贵族会使一个国家贫穷并带来许多麻烦，因为这会出现过多的花费。除此之外，贵族过多，经过一段时间后，总会有很大一部分人趋于贫穷，这就会在荣誉和财富中出现一种不均衡。

至于作为有特殊品质的贵族——我们看见一座古老的城堡或未腐朽的建筑，或看见一棵不错的并已成材的好树时，都会心生敬畏。那么注视着一个古老的贵族家族屹立于历史中与时间的波涛中，其气象又是多么令人敬畏啊！因为新贵族只是权力的代言，而古老的贵族则是时间的代言。那些最先开始崛起成为贵族的比起他们的后辈通常更为有能力，但也鲜有清白的。因为很少有不通过善恶交混的手段而获取地位的。但是他们留给后代的记忆中却只有长处，而缺点则随着他们的死亡而死亡了，这也是合理的。出身贵族的人通常都不喜劳作，而不勤劳的人却嫉妒勤劳的人。除此之外，贵族中的人不能升得更高了，当人们上升的时候，贵族们只能留在原地，这样贵族们不可避免地会产生嫉妒。另一方面，贵族阶级能消除那些对他们的消极嫉妒，因为他们生来就拥有荣誉。无疑，君主若能在贵族中发现有才之人而用之是最为安适的，国家政事也会更顺利；因为人们很自然地屈从于他们，如同他们生来就有发号施令的权利。

论叛乱与动乱

　　牧民需要知道国家风波的征兆。当事情逐渐变得平衡时通常是最剧烈的时候，就像自然界的暴风雨在春分或秋分最猛烈一样。并且就像在暴风雨之前总有一股空洞的风和海里隐秘的涌浪，在国家中也是一样：

　　逼近的动乱，黑暗的谋反。
　　之后征兆出现，战争秘密地聚集。

　　当诬蔑国家的放肆言论频繁且公开出现，以及那些与之类似，对国家不利而容易为人所信的谣言经常传播时：都是动乱的征兆。维吉尔，在写《名望的出身》时说她是巨人们的姐妹：

　　她——大地之母，
　　　因为对神的愤怒，生下了第四个孩子——
　　　科托斯和恩克拉多斯最小的妹妹（如他们所断言的那样）。

　　好像流言是过去暴乱的遗产，而又确实是叛乱来临的前奏。无论如何，维吉尔所注意的是对的，煽动性的混乱和煽动性的名声差不多，只是如同兄弟和姐妹、阳性和阴性而已。尤其是当它成为一个国家最好、最真实的行为，本应该给予赞扬，但却被冠上了恶意并加以诋毁时：因为这表明了极大的嫉妒心。就像塔西佗说的："当政府不被喜爱的时候，好的行为也和恶劣的冒犯一样了。"因为这些谣言是动乱的征兆，所以对这些谣言采取严厉的镇压应该是阻止动乱的办法。对谣言的蔑视通常能很好地阻止谣言，而到处去阻止只能使得质疑长存。并且塔西佗所说的那种顺从是应该被怀疑的:"乐意去服从,可是更乐意领会命令而不是执行命令。"争论、宽恕、对命令和指示的吹毛求疵,是一种摆脱束缚的举动,也是一种违抗的尝试,尤其是在那些争端中,那些服从指示的人说话畏惧,而那些违抗的人说话大胆的时候。

马基雅弗利说得也很好,那些应该为人民父母的君主,若他们自成一派并偏向某一方,就会像因为两边重量不平等而被推翻的船一样。这点我们可以从法兰西的亨利三世时期看出来。因为他首先加入了消灭新教徒同盟,然而不久之后,这个同盟就反过来对付他了。因为当君主的权力被当作导致某些事件的帮凶,并且有其他的组织比君权的组织更快地联系在一起的时候,君王就开始失去自己的统治力了。

同样,当纷争、争吵和派系公开且大胆地进行的时候,就是政府的崇高地位开始消失的征兆。因为在政府中最高级别的人的举动,应该像第│层天的行星的举动。(按照老观点)就是,每一个行星都因为最高级别的运动规律快速地移动,在自转中则非常柔和。因此,当大人物们在自身特有的运动中猛烈地进行,就如同塔西佗所表达的"对政府的崇敬不受控制"那样的时候,就是天体失去框架的征兆。因为崇敬是君主从上帝那里得来的束带,于是上帝想要恐吓君主们,结束他们的光环时说:"我将解开君主们的光环。"

所以当政府四个支柱(宗教、审判、法律和财政)中任意一个受到严重的动摇和削弱的时候,人们就不得不需要祈求天气晴朗了。但让我们先跳过预言(有关这个在后文中可以发现许多),先谈谈叛乱的材料,然后谈谈叛乱的动机,最后谈谈补救的办法。

关于叛乱的材料,是个很值得考虑的问题。因为预防叛乱最有效的方式就是拿走叛乱所需要的东西。因为如果有了事先准备好的燃料,就很难分辨那用来点火的火星是从哪里来的。叛乱的材料有两种:极度的贫穷和极度的不满。有多少破产的人就有多少制造麻烦的人,这是肯定的。卢肯对于内战前的罗马帝国的情形描述得很好:"从此财产被高利贷的利息吃光,利息随着时间变得越来越贪吃;从此信用摇摇欲坠,为了众人的利益而斗争。"

"为了众人的利益而斗争"是一个国家有叛乱和纷争倾向的准确的征兆。并且如果上流社会贫穷和被破坏的财产与低微的人们连在了一起,这危害则是近且大的,因为由于饥饿所带来的反抗是最严重的。至于不满,它们在政治团体当中犹如人性中的情绪,是会聚集不可思议的能量然后爆发的。君主不要根据不满合理与否来估量其危险,因为那样就把人们想象得过于通情达理了。也不要把不满所产生的痛苦事实上是大是小作为标准,因为畏惧大于知觉的不满是最危险的不满。"痛苦有其限制,但是恐惧是无穷无尽的。"此外,在严厉的压迫下,那激起人们耐心的事同样也能击败勇气,但在恐惧中并不是这样。不要让任何君王或国家放松对不满的关心,因为这些不满经常出现,或者存在已久,尽管还没有危险的事发生。因为水蒸气或雾气都不会变成暴风雨,这一说法是真的。然而尽管暴风雨多次停息,最后还是可能会下雨。像西班牙谚语说的:"绳子最终还是会被最弱的拉扯弄断的。"

暴乱的原因与动机是宗教的创新、税收、法律和习俗的变更、特权的破坏、普遍的压迫、小人的晋升、外地人、物质缺乏、松散的士兵、派系分裂严重,还有激怒民众让其因为共同的缘故而连接在一起的任何事。

关于叛乱的补救措施,可能需要一些普通的防腐剂。关于此我们需要谈一谈:至于合理的治疗方法,必须要合乎特殊的病害,所以必须要留来商议而不是根据规定来治疗。

第一个补救和预防的方法是去除所有我们所说过的可能引起叛乱的原材料。那就是地区的资源缺乏和贫穷。要达到这样的目的就要开放贸易和注意贸易平衡、注重制造业、减少失业、用法律来抑制浪费和超前消费,以及反对奢侈、改善和节约土地、调节物价、节制税收等措施。一般来说国家的人口（尤其是没有被战争损害的时候）不应超过国家所拥有的资源能够供给的数量。人口又不能仅仅是依靠数字来估计，因为对于一个人口少的国家，如果他们消耗得比他们创造的更多，那么就会比人口多但是消耗低的国家更快地耗尽资源。因此贵族和其他身份地位高的人的增加比普通人的增加更快的话，就会很快地将国家带入贫困的境地。教士的过度增长也是如此，因为他们没有创造任何财富。同样地，学者的过度增加也会造成很大的影响。

同样，应记住：任何国家的财富增加必须在外国人身上取得（因为不论什么，在某些方面得到，就会在某些方面失去）。有三种东西是一个国家可以出售给其他国家的：自然资源、手工产品、运输。所以如果这三个轮子运作，财富就会如泉涌般滚滚而来。并且有一点曾多次被印证：产品和运输比原材料更加有价值，更能使一个国家富裕。低地国家的人就是一个显而易见的例子，他们拥有世界上最好的地面矿产资源。

最主要的是，良好的策略是不使国家的珍宝和钱财集中在几个人手中，不然就会出现一个国家也许有巨大的财富，但是人民仍旧挨饿的情况。金钱就好比肥料，只有撒到大地上才是有用之物。要这样做的话，尤其要压制或约束那些贪婪的行业。比如高利贷、垄断、大型畜牧业等。

说到消除不满，或至少消除不满所带来的危险，我们所知道，每一个国家通常有两部分主体：贵族和平民。当其中只有一个心有不满的时候，这种危险是不大的。因为平民在没有被上流阶层刺激的时候，是行动缓慢的；而上流阶层除非在民众们准备改变自己时，否则力量是有限的。当上流阶层只是等待下等臣民申明自己的动乱的时候是危险的。诗人们想象说剩下的众神将会限制朱庇特，这被他听到后，便通过雅典娜，送来百手巨人来帮助他。毫无疑问，这只是一种象征，用以展示君主确保平民的福祉是一件多么安全的事。给予适当的自由来使悲伤与不满蒸发（同样不要太过于傲慢或大胆）是一个安全的方法。因为使体液回流，伤口向内流血的人是危险的。

在有关不满的情形中，厄庇墨透斯的所为很可能变成普罗米修斯（即事后所想的也许会变成事先预测的东西），因为再没有比他的所为更能预防不满的了。厄庇墨透斯在悲伤和邪恶飞到外面后，终于关上了盖子，而把希望留在了箱子底部。当然，谨慎且巧妙地对希望进行培养和招待，并引导人们从一个希望到另一个希望是最好的治疗不满的办法。如果一个政府能以希望赢得民众的心，或者在不能以希望而能以满意赢得其心时；又或者在应对各项事务时，能让民众觉得即使祸患有征兆却绝没有可能侵害这个国家时，这个政府便可以说是明智的了，而且将继续明智下去。这两种方法中后者较容易做到，因为个人和党派都更善于奉承自己，或至少他们不会表露出对一件事儿全没希望的样子。

同样，让国内没有适合的首领可以招聚或率领不满之人，也是一种很好的预防措施，虽然算不得什么新鲜的策略。我所理解的适合的首领，是指有大度和大名的人，被心怀不满的团体所信任和敬仰，并且认为他本人对自己的利益也有所不满。这样的人，政府要么拉拢他，要么与之和解，这是最好的结果。如若不能，就要使其在同一党派或团体中有人能与之抗衡，从而削弱他的名誉。总的来说，分化和削弱那些敌对政府的团体，让他们互相敌视，失去信任，也算是一种不坏的治疗方法。因为同理，如果赞成支持政府的人充满纷争和摩擦，或是敌对政府的人同仇敌忾，统一战线，情形都将是十分危急的。

我注意到有些从君主口中说出的锋利的言语点燃了叛乱之火，恺撒因一句话而给自己带来了无尽的伤害："苏拉不是学者，他不能下命令。"因为这句话完全地破坏了那些人们所抱有的他能停止独裁的希望。加尔巴以"我不是买士兵而是征收士兵"毁掉了自己。因为这句话使士兵们得到赏赐的希望落空。普罗布斯同样也因为一句"只要我活着，罗马帝国就不再需要士兵"而使得士兵们大失所望。当然还有许多其他类似的言论。当然，君主们需要在敏感时期注意言论，尤其是这些短小的语句。它们像箭一样飞向他国，并且被人们认为是不小心说出来的。至于大型的演说，则是单调且不被人们注意的。

最后，君主为了要预防所有的事件，最好在身边有一位或者多位勇猛的军事人才，在叛乱处于萌芽之时就将其扼杀。因为如果没有这样的人存在，一旦有叛乱，宫廷中就会有不安，而国家就会处于塔西佗所言的危险之中："少数人试图叛乱，更多的人渴望叛乱，所有人赞同叛乱。"但这样的军事人才要可靠且有好名声，不喜欢结党营私，阿谀民众；而且他们还必须与政府其他大人物相合。否则，这药就会比疾病更糟糕了。

论无神论

我宁愿相信《金色传奇》《塔穆德》和《古兰经》中的一切语言，也不愿相信这个宇宙的构架是没有精神存在的。并且上帝从不创造奇迹来驳斥无神论，因为他平时的工作就已经足够来证明了。一些哲学使人们的思想倾向于无神论，这是真的。但是在哲学的深处，又把人们的思想带回到了宗教。因为当人类的精神专注于许多次要的原因的时候，精神有时候也会停滞于其中，不会向前走。但是当精神注视着次因连接起来的时候，就必定会飞向普罗维登斯和天神。不但如此，最指责无神论的学派也最证明了宗教。那就是琉喀波斯、德谟克里特斯和伊壁鸠鲁学派。因为经过千万次可信的证明，世界是由四种易变的元素和一种不可改变的第五元素恰当且不断地组成的。这个世界的组成是不需要上帝的。这样的说法比起世界的秩序和美好是由无数细小的原子组成，而且不需要上帝的整理排列这样的说法更加可信。《圣经》写道："愚昧的人在心里说世界上是没有神的。"而不是说出来。愚昧的人心里是有考虑的，所以他们习惯性地告诉自己，如同他们会这样认为而不是彻底地相信或者被说服。因为没有人会否认神的存在,除非这样对他们有利。显然地,无神论者更喜欢用说的方式来证明自己,而不是打动人心。无神论者总是会谈论他们的观点,就好像他们沉醉其中一样,并且会因为其他人的赞同而更加强大。不但如此,大家应该看到过无神论者们极力收取门徒,这跟其他的宗派一样。并且最主要的是,你会看到他们宁愿遭受苦难也不愿放弃自己的信仰。但是如果他们真的相信世界上是没有神这样的东西,那他们为什么又给自己找麻烦呢?伊壁鸠鲁曾说他相信是有神的,但被认为是因为荣誉的原因假装罢了。当他断言这里有神圣的种类的时候,就好像不尊重政府而只是自娱自乐而已。许多人都说他是迎合潮流,但是他内心认为神是不存在的。但显然,他是被诋毁了。因为他的话是高贵且极好的:"渎神不是指否认信奉人们心中的神,渎神是去信奉人们所信奉的神。"柏拉图也不能比这说得更好。尽管伊壁鸠鲁有信心否认信奉神的实行,但是他没有否认自然界的力量。西印度人有他们自己的神的名字,尽管他们没有"神"这一名字:就好像异教徒中有朱庇特、阿波罗、马斯这样的名字等,而不是上帝、神这一类的名词。这表明就算是那些蛮荒落后的人们也有神的概念。尽管这些概念没有文明国度的概念宽广。因此,在反对无神论上,这些野蛮人和敏锐的哲学家是站在一起的。思想家中的无神论者是很少的:一个狄阿格拉斯、一个彼翁,也许还有一个卢西恩和其他一些人。但是他们看起来似乎比自己真实的样子更过了,因为所有对被一致认可的宗教或迷信抱有非议的人,都会被敌对的人打上无神论之名的烙印。但是真正的无神论者确实是伪善者。因为他们总是搬弄神圣的东西但没有感知。所以他们最后必定会被灼烧来去除罪孽。无神论的原因是:宗教的分派。因为任何主要分为两派的宗派都会增加两边的热情,但是过多的分派就会造成无神论。另一个原因是牧师的流言。当到达圣伯纳德所说的那个境地:"我们现在不能说牧师和普通人一样,因为事实是普通人没有像牧师那样坏。"第三个原因是,亵渎嘲讽神圣的事物。这会一点点地销毁宗教的尊崇感。最后一个原因是：学术盛行的时代，尤其是在和平繁荣的年代，因为困境和厄运更使得人们的思想向宗教致敬。那些否认神的人是在毁灭人类的高贵。因为人类的身体确实是和兽类相似的，所以如果人类的思想再不和神相似的话，那么他就是一个可耻的生物了。同样，无神论也毁灭了人的气量和人类天性的提高。我们以狗为例，看它发现自己在被一个对它来说是上帝或者更好的种类的人驯养的时候拥有多大的慷慨和勇气。这清楚明白地显示了没有比它自己更高种类的自信的时候，它的勇气是达不到的。所以人们相信他们是受到神的保护或者喜爱的时候，会聚集起人们天性中不可能得到的力量和信心。因此，如同无神论在许多方面都令人讨厌，在这方面也是。那就是它剥夺了人类在自己的缺点上赞扬自己的天性。在个人中是如此，在国家中也是如此。从来没有一个如同罗马帝国一样伟大的国家。关于这个国家，曾听西塞罗说过一段话："骄傲自大就像我们凌驾于国家之上一样，但是我们人数比不过西班牙，力量比不过高尔人，狡猾比不过迦太基人，艺术上比不过希腊人，连那些属于他们的国家和土地的家常感和故乡感也比不上意大利人和拉丁人。只有在虔诚和宗教方面，还有把不朽的神当作支配统治所有事物统治者的智慧方面，我们是优于所有的国家和民族的。"

论 迷 信

对神没有任何意见，也好过有与其不相符的意见。因为第一种是不信，第二种则是侮辱。无疑地，迷信这一词是对神的非难。普鲁塔克在这一点上说得非常好："我宁愿许多人说没有一个叫普鲁塔克的人，也不愿他们说有一个叫普鲁塔克的人在他的孩子一生下来的时候就把他们吃了。"这话就如同诗人们说塞图恩一样。这种对神的侮辱越大，对人的危险也就越大。无神论把人们留给道理，留给哲学，留给自然虔诚，留给法律，留给名誉。所有这些东西，即使没有宗教也可以成为表面的道德上的美德的向导。但是迷信卸下一切，在人们的脑海里建立绝对的君主专制。因此无神论永远不会扰乱国家，因为无神论使人对自己谨慎，就像看不到远处的东西一样：我们看到，那些倾向于无神论的时代（就像奥古斯都大帝时期）都是太平的时代。但是迷信曾在许多国家引起骚乱，并且带来了一个新的原动天，这使得所有的政府入迷。迷信的主人是人，并且在所有的迷信中，有智之人是跟随着愚人的，争论是以颠倒的顺序伴随着实践的。在特伦特会议中一些高级教士严肃地说道：经院学者的教条暴露出摇摆不定的地方，他们就像天文学家一样，把自己伪装得古怪。一些天体的体系，用来证明一些现象。尽管他们知道是没有这些东西存在的。同样，经院学者构建了许多微妙且错综复杂的原理和定理来解释教会的行为。迷信的原因是：取悦和享乐的仪式和典礼；过度的表面且伪善的神圣；对传统的过度尊崇（这只会给教会增加负担）；高级教士因为自己的野心和利益所设的诡计；过于注重好的意图（这开启了骄傲自大和新奇性的大门）；以人的思想来打算神的事（这只能繁衍出想象的混合物）；最后，野蛮的时代，尤其是有灾难的时代。迷信如果没有面纱来遮掩，就是一个畸形的东西。比如一只猿猴，因为如此地像人而变得畸形丑陋。所以与宗教相似的迷信也使其畸形丑陋。又如好肉腐烂生出小虫一样，好的体制和秩序也会腐化出许多小的规矩。有一种避免迷信的迷信，那就是当人们认为他们最好地远离了以前被一致认可的迷信时。因此应该留心（像清洗体内积毒而方法不当一样）不要把好的与坏的一同丢弃，这通常会在普通民众作为社会改革者时发生。

论 游 历

游历在年轻一代是教育的一部分，在年长一代是经验的一部分，在还没有学会那个国家的语言之前就去那个国家可以说是去上学，而不是游历。我非常赞同年轻人应该在导师或雇员的带领下去游历。指导你的人必须会那个国家的语言或者以前去过那个国家。因为他可以告诉同去的那些人，在这个国家什么东西值得一看，什么人值得拜访，这个地方又可以带来什么锻炼或训练。否则，年轻人就如蒙着头巾，不怎么能看到外面的东西了。这是一件很奇怪的事，在海上航行的时候，除了天和海以外，什么都看不见，人们却在写日记。但是在陆地上旅行的时候，有那么多可以观察的东西，然而大部分人却忽略了。好像偶然的东西比特意观察的东西更值得人记录似的。因此应该写日记。在游历中值得观赏考察的是：君主的朝廷，尤其是当他们接见外交大使的时候；法庭，当他们坐下来听审的时候；还有宗教法院；以及有现存遗址的教堂和修道院；城镇的墙垣和筑垒，还有港口和海湾；古物和遗址；图书馆；学院、辩论会和演讲；航海和海军；挨着大城市的公用和娱乐用的房屋和花园；兵工厂；军火库；杂志；交易所；奖学金；仓库；马术训练、击剑运动还有士兵训练等；上流人士喜欢去的戏院；宝石礼服等珍宝；木制品和珍品；总之就是要去一切值得记忆的地方。这些都是导师或仆人应该去调查的。至于盛典、假面舞会、宴会、婚礼、葬礼、刑场等，人们是不需要记在脑子里的。然而它们也不该被忽略。如果你将一个年轻人的游历限制在很小的范围内，并且在短时间里获得很多东西，他就非这样做不可了：首先，如我们先前说的，他在进入那个国家之前必须要会那个国家的语言；然后他必须要有一个去过那个国家的导师或者仆人，并且带上一些描述他要去的国家的地图或书，这些书和地图将会成为他调查的关键；让他写日记；不要让他在一个城镇中待得过久，停留时间的长短按照那个地方的价值来决定，但是不要太长；不但如此，当他待在一个城市或小镇的时候，让他更换自己的寄宿地，从城镇的这一边到城镇的另一边，这样就能认识更多的人了；让他和自己国家的人分开，并且在有该国上流人士出没的地方用餐；在他从一个地方搬往另一个地方的时候，让他努力取得居住在当地且品质高尚的人的帮助，那些人也许会帮助他实现所想见或想知道的事，这样他就可以缩短他的游历而获得更多的利益了。至于游历中应当拜访的熟人，其中最有益处的朋友就是使节的秘书或雇员了。如此在游览一国的同时，可以得到多国的知识。游历时也应该去看看各个领域在国际上远负盛名的杰出人物，去看看这些人是否与他们的名誉相符合。至于争吵，是必须要小心避免的。争吵的原因通常是因为情人、健康、座位和语言。一个人也应该注意如何与性情暴躁好争论之人交往，因为他们会把他扯进自己的争吵。游者归国返乡后，不要把他游历过的国家抛在一边，而应该与他最有价值的异国朋友保持通信。他的游历最好出现在他的话语中而不是他的外表或姿态上。并且在他的谈话中也最好使用经过深思熟虑的回答而不是主动说故事。而且他应该让人觉得自己不是以国外的习惯来代替本国的习惯，而只是把国外所学的精华之处移植到了本国风俗之中而以。

论 帝 国

想要的东西太少而害怕的东西过多，这是一种思想的悲惨国度。然而君主通常都是这种情况。因为他们已经站在最高处，没有什么想要的了，这使得他们的思想更加衰弱。并且有许多的危险和阴影的意象，使他们心神不宁。这就是《圣经》所说的"君心难测"的原因之一了。因为有着众多的猜疑，但又没有一项主要的欲望可以指挥和约束其他欲望，这使任何人的心都是难以琢磨的。因此君主常为自己制造欲望，并且将心思专注在一件细小的事上，这些事有时候是一座建筑，有时候是建立一种秩序，有时候是栽培一个人，有时候是获得一种艺术或手艺。就像尼禄之于竖琴，多米田之于箭，康门杜斯之于击剑，卡瑞卡拉之于御马等。这对于那些不知缘由的人似乎是难以理解的，以为人们的心更容易因为在小事上获利而欢乐，而不是在大事上有所建树。我们也能看到有一些君主在早年时就十分幸运而赢取了巨大胜利，但这种胜利不是永远的，因为幸运不可能是永久的。他们也为幸运支付了代价，因此他们在晚年时，常变得迷信而忧郁。如亚历山大大帝、戴克里先，还有我们都记得的查尔斯五世，以及其他一些君王。因为那些一向进取的人突然碰了钉子，停滞下来，就会垂头丧气起来而变得不像自己了。

现在来说帝国的真气质，这是罕见且难以维持的东西。因为性情和非性情都不是纯粹的，而是包含着对方的。但是互相包含是一回事儿，而相互替换又是另外一回事儿。阿波罗尼回答维斯帕西安的话就是极好的例证。维斯帕西安问他："让尼禄被推翻的是什么？"他回答："尼禄善于抚弄弹奏竖琴，但在政治上，他有时把发条上得太紧，有时又太松。"无疑，忽而大施威迫，忽而过度松弛——没有什么比这种不平衡和不合时宜的权力变化更破坏权威了。

近代有关君主的重大事件中，智者都会在危难来临的时候巧妙地躲避或转移，而不是死死地停顿在那儿，企图超然于危难之上。人们应该注意他们可能忽视和遭受的麻烦并做好准备。没有人能阻止星星之火，也没有人知道它们会从哪里来。因为君主的事务是多且困难的，但是通常最大的困难在他们的心里。因为通常君主（塔西佗说的）的意愿都会矛盾："他们的欲望通常都是强烈且不兼容的。"因为权力的弱点就是想要掌控指挥结局却又不能忍受那些手段。

君主们必须能应付邻国、妻妾、子女、教士、贵族、世袭贵族或绅士、商人、平民、士兵们。如果他们不小心谨慎地处理的话，这些方面都可能出现危险。

首先，关于他们的邻国。这除了一条永恒的规则外是不能被赋予一般的规则的（形势是变化的）。那永恒的规则就是君主应该保持警戒，不要使他们任何一个邻国强大（通过领土扩张、贸易增强、外交手段等）

以至于比先前对自己更具威胁。预见和防范是永远都必要的一般性工作。三大君王——英格兰国王亨利八世、法兰西国王弗朗西斯一世和查尔斯五世——在位时,有一个不变的形势,那就是他们三个中的任何一个都不能得到更多的土地;一旦有类似苗头发生,另外两个君王就会通过联盟或在必要时采取战争,重新达到平衡,并且不会因为利益而与之讲和。同样地,在那不勒斯的费迪南多国王和劳伦斯·梅第奇,卢多维科斯·斯福尔查(一个是弗罗伦萨的君主,一个是米兰的君主)的联盟(圭查尔迪尼说这是意大利的安全所在)也是如此。一些经院学派认为,因为以前的伤害或者挑衅而发起战争是不正义的,这种观点是不对的。因为尽管敌人还没有发出攻击,但我们已经有了恐惧和危机感,这也可以说是战争的合理的原因,是没有任何问题的。

至于妻妾,是有一些残酷的例子的。利维亚因为毒害丈夫而出名,罗莎拉娜——索利曼的妻子,就是杀害苏尔坦王穆斯塔法的人,并且还给他的家庭和继位问题带来了许多麻烦。英格兰爱德华二世的皇后也是谋杀并废黜她丈夫的主谋。当妻子们预谋将自己的孩子推上皇位或者有了外遇的时候,是最危险的。

关于他们的子女,由他们引发的悲剧和危险也同样很多。一般来说,父亲对自己的孩子有所怀疑总是不幸的。穆斯塔法的毁灭(我们前面已经说过)对索利曼一族来说是致命的打击。因为从索利曼至今,土耳其的继承血统都是不纯正的。因为塞利玛斯二世被认为是假的继承人。克里斯珀斯——一个年轻的王子,被他的父亲康士坦丁努斯大帝杀害。这同样也成了他们家族的致命伤害。因为康士坦丁努斯和康士坦斯努斯的儿子都死于暴力。他的另一个儿子,康士坦提乌斯也不见得结局有多好。他是因为疾病而死的,但也是在玖丽安纳斯起兵谋反之后死的。迪米特里厄斯——马其顿王国普力普二世的儿子,他的死让他的父亲带着悔恨离世。像这样的例子还有许多,但是因为这样对子嗣有所猜忌而得到好处的父亲却很少或者没有。除非是在子嗣公然反抗他们的统治时，如塞利玛斯一世反对巴加赛特的统治，还有英国国王亨利二世的三个儿子。

至于教士，当他们感到骄傲和自大时，也是会引发危险的。如同安赛尔莫斯和坎特伯雷大主教托马斯·贝克特时期。他们手持的木杖如同君王手中的剑一样，而他们所对付的是傲慢强大的君王威廉·鲁弗斯、亨利一世和亨利二世。这种危险不是来自他们本身，而是他们所依赖的外国的权势，或者在教士刚入教或选举时是由民众选举，而不是国王授命或者其他一些特别的人的赞助。

至于贵族，与他们保持距离也不算错。但是压制他们可能会使一个君主更加专制，更不安全，并且很少能够执行他们心中所想的事。我的《英格兰亨利七世传记》中写到过这些：亨利七世是被压制的贵族，他所度过的时代是充满困难与纠纷的。因为那些贵族表面上仍对他忠诚，但他们都没有与他在事业上的合作，所以他只好自己来做所有的事情。

关于那些世袭的二世贵族，他们是没有多大的威胁的，因为他们只是一盘散沙。他们有时候可能会说一些大话，但是这只能造成一些小伤害。此外，他们是高级贵族的平衡所在，使他们不至于成长得太快。最后，他们是最直接与人们见面的掌权者，所以他们能最好地缓和人们的暴乱。

关于商人，他们是身体的滋养品。如果他们不繁荣，那么一个国家可能有良好的四肢，但是血脉将是亏空的，营养贫乏的。对他们征收重税于国君而言并无多大利益，尽管那样会使税收看来有所增加，但这从小处获得的利益最终会在大处流走，因为那会削弱贸易的总额，从而危害郡县的繁荣发展。

关于平民，他们是很少有危险的。除非他们有优秀能干的领袖，或者你干涉他们的宗教、习俗或生活方式。

关于兵士，当他们联合成整体并且习惯于被赏赐的时候，就会变成一个危险的族群。我们可以看到苏丹的卫士和罗马君主的卫士就是这样的例子。而训练普通人，并将他们分散到各个地方，有一些指挥官指挥，但不给赏赐，作为防御是没有危险的。

君王们就像天上的星宿，能够带来好的或者坏的时代，受到很多尊敬，但是不能休息。关于君王的箴言，在两句话里可以得到充分的领会："记住你是一个人"和"记住你是一个神或者上帝的使者"。一句话是用来约束他们的权力，一句话是用来约束他们的念想。

论 谏 言

人与人之间最大的信任就是给予谏言的信任。因为在别的信托中，人们只是托付生活中的一部分，如土地、产业、子女、信用和别的一些东西。但如果是他们的顾问人，他们就会交托全部。这取决于受委托人的信用和忠诚度。明智的君主不应该认为谏言会使自己的伟大削减，或有损他们的完美。上帝也不能缺少它，且上帝还为其命名：谏言者。所罗门曾说有谏言才有安定。事情都会有他们的第一、第二波的波动。即使他们不在谏言的争论中颠簸，也会在命运的波涛中颠簸。并且反复无常、成败不定，就像一个摇摇晃晃的醉汉一样。所罗门的儿子发现了谏言的力量，就像他的父亲发现了它的必要性一样。因为上帝最喜爱的国家是因为错误的谏言而毁灭的。这个谏言有两个标志，上帝赋予它就是为了让我们看见，并指导我们不要犯错的。错误的谏言来自两方面：在人方面，是年轻人的谏言；在事方面，是暴力的谏言。

古人详尽地指出了谏言和君王的密切关系和不可分割性，还有君主们对于谏言睿智恰当的利用。第一，他们说久皮特与美狄丝结婚，这指代了谏言。借此人们认为君权是要与谏言是结合一体的。然后就是接下来的：他们说，在久皮特与美狄丝结婚后，他们有了一个孩子，但是久皮特不肯等到她把孩子生出来，就把她吃了。因此他就变成了自己怀了孩子，并且从他的头中诞生出武装的帕拉斯。这个寓言故事暗藏了帝权的秘密：君王应该如何使用他们的朝廷。首先，他们应该把事务交付于朝廷，就像让之怀孕一样。但是当这些事务在朝廷中被详尽讨论、磋商、制定，并且成熟即将出世后，君王就不应该再让朝廷去决定和指导，而该把权力带回到自己手中，并向人们显示出最终的决定权（因为他是带着谨慎和权力公布的，就像武装的帕拉斯）是由他发出的。不仅从他的权威，还（这样可以更加增加其声誉）是从他的头脑和策略中而来。

现在让我们来谈谈谏言的不便之处和补救措施。不便之处已经在使用中显现出来，有三点：首先，暴露了事务，降低了机密性。其次，削弱了君主的权力，就像他们不能靠自己一样。最后，不忠实的谏言的危险，谏言者比听言者更有利。因为这些不便之处，意大利的教条和法兰西的惯例中，曾出现某些君王在位期间设置了内阁议会——一种比疾病更糟糕的治疗法。

对于保密，君主不必所有的事务都与臣子讨论，但是他可以从中选择。问他应该如何做，但没必要宣布他将会怎样做。还要注意，不要从他们口中泄露了机密。至于内阁会议，有一句话可以成为他们的座右铭："我充满漏洞。"一个喋喋不休，以告诉他人秘密为荣耀的人，将比更多的人知道并守密更加危险。有一些事务是真的需要极度保密的，除了君主不超过一个或两个人知道。这些知道秘密的人不是没好处的，因为除了保密，这些言论会朝着一个固有的方向前进而不受干扰。但是那必须是一位谨慎的君主，能够亲力亲为的君主。并且那些内部的谋臣也必须是有智慧的人，尤其是值得君主信赖才行。英格兰国王亨利七世，除了莫顿和福克斯，他不会把自己的重要事务透露给任何人。

关于削弱权威，寓言已经透知了补救办法。不但如此，当他们听政的时候，君王的尊严与其说被贬低了不如说是变得更崇高了。并且也没有君王因为听取谏言而丧失臣子的。除了谏言者权力过大或者议会分派严重。

这些都是很快能发现并补救的。

关于最后一个不便之处是，人们总是以自己的视角来劝谏。无疑，"他在土地上找不到忠诚"是形容一个时代而不是个人。有些人天性忠心、真诚、朴实、直接，没有奸诈。君主应该首先把有这样天性的人吸引到身边来。此外，一般的谋臣是不会联合在一起的，而是一个监督另一个。因此，如果一个人的谏言是关于派系或者私人目的，这通常都要传到君王的耳朵里。但是最好的补救方法就是君主懂得谏言者如同他们懂君主一样："君主最大的美德就是知人。"另一方面，谏言者不应该太好奇君主的私事。真正有品性的谏言者是要通晓君主的事务而不是他的性格。因为这样他就可以给予他建议而不是迎合他的脾气。君主们如果能同时听取他们一起议事时的意见，又能听取个人私下的意见，将会更加有用。因为个人私下的观点更加自由，但在人前则较恭敬。私下里，人们更大胆地表达自己的情绪。但是在众人面前，人们很容易因为别人的好恶而受影响。因此最好两个都听取。并且对于阶级较低的人最好是私下听取，让他们可以畅所欲言。对阶级高的人最好在公众场合听取其意见，以维持尊重。如果君王只是听取关于事务的谏言而不听取关于人的，那么这也是徒劳的。因为如此，所有的事务都会变成死亡的图像，而事务的执行恰恰在人的选择。而只根据阶级来选择谏言者，则像研究一种观念，或解一道数学题，来判断这个人是什么或应该有什么性格，是不够的。因为铸成大错和取得大善都是由选人是否适当造成的。有人曾说"最好的谏言者就是死人"。当谏言者阿谀奉承时，书籍是会说实话的。因此最好是精通书籍，尤其是那些亲身经历了类似情景的人所写的书籍。

如今的议事机关在大多数地方都是普通的会议，在这里事务都只是被谈论而不是被辩论，并且都只是迅速地结束或者只做做样子。在重大的事情上，最好是前一日提出然后直到第二日再谈论。"夜晚是获得谏言的最佳时机。"在英格兰和苏格兰合并的会议就是这样。那是个慎重且有序的议会。我建议应有一定日期的请愿书。因为这不仅给请愿者增加了确定性，还让会议有空来算这件事的价值。在选择促成事务的委员会时，最好选择一些公正的人，而不是那些对两方都有很深成见的人。我还建议永久委员会的设立，例如有关贸易的、财务的、战争的、法律的等。因为如果有许多特殊的议会，但是只有一个国家的议会（就像西班牙），在效果上，还不如永久的委员会，只不过国家议会有更大的权力而已。让这些可以通知议会的特殊职业（如律师、海员、铸钱者等）先让委员会知道。然后再根据实际情况，通知议会。并且不要让他们聚众而行，或者以煽动的方式。因为那样就是对议会放话通知而不是陈述了。一个长桌和一个方桌，或者挨着墙的座位，看起来都是形式，但其实是非常有实质的事。因为在长桌上，坐在上位的人就可以指挥所有的事务，但是在其他的形式中，坐在下位的人的意见也能更多地被采用。一位君王，当他主持议会时，让他注意其言辞中泄露了多少他的意向。不然谏言者就要见风使舵，不能给予自由的言论，而是为他唱一首歌《我将使你高兴》。

论 延 迟

幸运就像市场。在那里，如果你能多停留一会儿的话，价格就会下降。可是，它有时又像西比拉所供的东西一样，最开始的时候整个售卖，然后一部分一部分地卖，并且始终保持一个价格。因为时机（在普遍的谚语中）在她露出额前的一小撮头发但是没有人抓住的时候，就会变成秃头。或者至少把瓶子的把手给你，如果不抓住的话就变成圆滚滚的身子，让你难以抓住。再也没有比在开始的时候抓住时机更明智的做法了。危险如果一次看起来无关紧要的话，就再也不会是无关紧要的了。并且欺骗人们的危险比强势的危险更严重。此外，在危险还未靠近时就迎头打击，比长久注视着它的靠近要好，因为如果一个人看得太久，那么他就很容易睡着。另一方面，被过长的阴影欺骗（就像月亮低低地照在敌人的背上时）而过早射击，或过早预防而使其有机可乘，是另一种极端。时机成熟或不成熟（像我们说的）必须要好好衡量。一般来说，最好把所有大事的开头交给百眼的阿格斯，把结束交给百手的布里亚柔斯。首先我们需要看，然后迅速行动。对于使政客隐形的普路托的头盔，就是在议论的时候隐秘，在处决的时候迅速。因为当事情一旦到了执行的时候，就没有比迅速更保密的方法了。就像一颗在空中划过的子弹，因为飞得太快而逃过了人的眼睛。

论 狡 猾

我们把危险的或畸形的聪明叫作狡猾。当然一个狡猾的人和一个聪明的人是有很大的区别的。这不仅体现在诚实上，也体现在能力上。有的人可以把牌藏得很好，却不能将牌玩得很好。同样的，有的人在游说和分派中做得很好，但是在其他方面却很弱。并且明人是一回事，明事又是另外一回事。有很多擅长理解他人心思的人，在处理事务方面就不那么优秀了。人的构造比书籍更能教育一个人。这样的人更适合实践而不是会议。并且他们只是擅长小的一方领域，如果让他们去应付新的人，他们就会迷失目标。因此那用来辨认愚者与智者的老规则"把他们赤裸地送到他们不认识的人面前，然后你就知道了"并不是很适用于他们。因为这些狡猾的人就像小商贩一样，所以我们不妨把他们的商品列出来。

狡猾的关键点就在于用眼睛来等待你所谈话的对象说话，就像耶稣会的箴言："有许多聪明人都是有着秘密的心和透明的面容。"然而要这样做的话需要眼神谦卑，就像耶稣会做的那样。

另一个是，当你有一些紧急的事需要马上离开时，你就要使与你谈话的另一方愉悦高兴，这样他就不会太清醒而做出反对。我知道有一位秘书兼顾问，他从来不直接请伊丽莎白女皇签署议案。他总是先和她谈论国家大事，这样她就不会太过关心议案了。

还有一个令人惊讶的做法就是在当事人很匆忙的时候让他作决断，这样他就不能停下来慎重考虑了。

如果一个人要阻挠一件他认为别人会做得很好的事，最好的办法就是假装希望这件事顺利进行，然后让其以一种会使之失败的方式开展。

一个人正要说话的时候突然中止，会吊起听者的更大的胃口，并且想要知道得更多。

一件事如果被从对你的问题中套出，而不是你主动说出来的，会更好更有用。你也可以设置一个诱饵让别人问你问题。显示出与平时不同的面容，并且在最后给另一方问"你怎么了"的时机。就像尼迈尔斯做的那样："我以前从没有在王面前露出愁容。"

在敏感和不愉快的事情上，最好让一个说话没有多大分量的人先开口，然后让一个说话有分量的人偶然进来，这样被别人问到问题的人就会向这位有分量之人发问。那喀索斯向克劳迪亚斯报告梅萨利纳和斯留斯结婚之事时就是这样做的。

一个人不想看见自己也身处其中时，通常会借用世人的名义。就像在说世人这样说，或者外面的人都这样说一样。

我知道一个人，当他写信的时候，他会把最重要的事写在附言里，就像是一件附带的事情一样。

还有另外一个人，当他说话的时候，会略过他最想要表达的，讲完后再倒回来，好像在说一件几乎要忘记的事情一样。

有些人设法让自己对于某些人的到来表现得惊讶，就像另一方突然出现一样。然后让对方发现在手中有一封信，或者做一些与平时习惯不一致的事。最后对方肯定会询问，这时他就可以表达自己想说的话了。

狡猾还有一点就是用一个人自己的名义说一些话，然后让别人学习并使用，以此来利用他人。我知道在伊丽莎白女皇时期，有两个竞争部长职位的人，他们彼此保持着非常好的联系，还会与彼此商议事务。然后他们其中一个说，在君主统治衰落的时代，做一个部长是一件多么棘手的事啊，他不想坐上那个位置。另一个人听到后就与他的其他几个朋友说起了此事，他觉得他没有理由在君主制度衰落的时候还想出任部长。这话被人听到后，告诉了女皇，女皇听到君主制度衰落这些字眼儿时，非常生气，就再也不听那人的任何言论了。

还有一种狡猾，在英格兰我们叫作在锅里翻菜。就是一个人在对其他人说一件事的时候，谎称是别人告诉他的。说实话，当这发生在两个人身上的时候，是难以分辨出是谁先说的。

还有一种方法，有些人通过否认的方法为自己辩护，让别人忽略他而把矛头指向别人。就像泰格利谬斯对伯勒斯做的那样，他说他没有过多的愿望，只希望君主平安。

有些人准备了许多寓言和故事，当他们想要表达观点时，就用一个故事把它包裹起来，这样不仅使他们安全，也使得他人更乐于传播他们的话。

另一个狡猾是用自己的语言和主张将所要的答案描绘出一个框架，这样别人就不至于太为难。

奇怪的是有些人在说真正想说的话之前都会说很多其他的话，离自己所要表达的主题很远，把其他的许多事说完后，再返回来说自己想要说的。这是一件需要耐心的事，但却是有很大用处的。

一个突然的、大胆的和意想不到的问题通常会使人惊讶，并露出马脚。就像一个改了名字并走在圣保罗大教堂的人，当另一个人在身后突然叫他原来的名字，他马上就要回头去看一样。

这些不重要的狡猾是无穷尽的。把他们这样列出来也很好。因为没有什么比狡猾的人顶替睿智的人更能危害一个国家的了。

但确实有那么一些人，他们知道事务的入口和出口，但是无法深入中心主题。就像一个有便利楼梯和入口的房子，却没有一个适合的房间一样。因此你应该可以看到他们在处理事务的时候十分松懈，但是没有方法可以检查或争论。通常他们把自己的无能当作优势，并让人们认为他们有指挥才能。一些人的做法就是在欺骗他人，并且（正如我们现在说的）在他人身上玩花招。他们不在乎他们处理事务的名声。但是所罗门说："智者听从于自己的步伐，愚者则转变为欺诈。"

论自谋

蚂蚁是一种为自己打算时非常聪明的动物，但是如果它在一个花园或果园里，就是一种有害的东西了。当然，所有过于爱自己的人都是损害公众的。因此一个人应当把对自己的爱和对社会的爱用理智分开，忠于自己但不欺于人，尤其是对你的君王和国家。凡是以自己为中心的行为都是不好的。那就完全和地球一样。因为地球只以自己为中心，并且所有的天体都是围绕着它运动的——这对它们是有益的。什么都拿自己作为标准，这在君主身上是可以忍受的，因为他们不仅仅是代表自己，其好坏还关乎公众安危。但是这发生在一个君主的侍从或者共和国的公民身上，就会变成极其严重的事。因为不论任何事经过这样一个人的手，最后都会变成对他们自己有利的事，这必定常与他的主人或者国家的利益相悖。因此，君王或国家应当选择没有这样污点的侍从或臣仆，除非他们是想让这种人办细事，只作为工具。私利最大的害处在于使事务完全失宜。先顾臣仆之利，后顾主上之利，就已经很不好了；而如果为了臣仆之小利而罔顾主上之大利，就更过分了。这种情形就是腐败的军官、司库、大使、将军以及其他虚假腐败的仆人所做的了。他们使得利益的天平偏向他们一方，扰乱他们主人的重要大事。在大多数情况下，这些仆人所得到的好处是与他们的幸运相当的。当然，这是一种过度爱自己的本性，就像把房子烧着，只为了烤鸡蛋。然而这些常常能得到主人的信任，因为他们所学的就是愉悦主人而使自己获利；而为了私利，他们是会放弃主人的大利的。

为自身谋利之智在很多地方都是一件堕落的事。它是老鼠之智，会在房屋倒塌之前离开房子。它又是狐狸之智，在獾制造好巢穴之后将其赶走。它又是鳄鱼之智，在吞噬的时候流泪。但是，特别要提到的就是，那些（如西塞罗说庞拜那样）"爱自己而没有竞争对手"的人通常是不幸的。他们总是让别人为自己牺牲，以为自己抓住了幸运的羽翼，最后却都变成了变幻无常的幸运的牺牲品。

论 革 新

所有的生物在初生的时候都是病态畸形的，所有的革新也是。这是时间的产物。然而，正如那些首先给家庭带来荣耀的人通常比后代更为成功，第一个先例（如果是好的）是很少能够通过模仿达到的。邪恶在人的天性中是歪曲的，有着自然的运动，在最开始的时候是最强的。当然，每一种药都是一种革新，并且如果不致力于研究新药，就必须要预料到新的疾病，因为时间是最伟大的革新者。如果时间自然地使事情变得更糟，智慧与言论也不能将其变好，那么结局又该如何呢？因习俗而建立的，虽然可能不是最好的，但是至少是适合的。这句话是真的。那些已经过时很久的东西就像它们自己的同盟：新事物与旧事物不太融洽，尽管它们发挥着自己的功用，但是也因为它们的不一致而引起麻烦。此外，它们就像陌生人，得到更多的钦佩，但是少有青睐。所有的这一切也都是真的，假如时间停滞不动的话。但是相反地，时间是不停向前走的，所以继续保留旧习就会对革新形成阻拦，那些对旧时期过于尊崇的人也会对新事物蔑视。因此，人们应该在创新的时候参照时间自身的例子，时间所作的变更确实很大，但却是安静的，不被人所感知到的。否则，新事物未经检查，虽然改善了一些地方，但是也损害了他人。得益之人以此为幸，并感谢时间。而受到伤害的人就认为这是一个错误，并且怪罪于革新之人。最好不要尝试在国家中进行变革，除非是非常紧急且有必要，或非常有利的。而且要注意，应该在需要改变的时候变革，而不是因为有改变的愿望而假装变革。最后，对于新颖的事，虽然我们不拒绝，但是也要持着怀疑的态度。就像《圣经》里说的，我们应该以古老的方式来审视，并挖掘出哪一条路才是直接又正确的路，然后就可以踏上这条路了。

论 效 率

过度追求速度是最危险的事情之一。它就像医生所说的"预消化"，或者"速消化"。这必会使身体中充满未消化的东西而产生疾病的种子，因此，不可以用时间的多少用来测量快速与否，而要以事务的进度来测量。就像赛跑中，不是以大跨步和高抬腿来提高速度。所以在事务中，要保持专心于一件事，而不是同时做许多的事来提高效率。有些人只是想要在短时间做许多事，或者设法让事情表面看起来完成了，因为他们想让自己看起来非常有速度。然而通过紧凑做事来缩短时间是一回事，通过砍掉过程而缩短时间又是另外一回事。所以需要几个机构或会议办理的事务，通常需要多次往返并且没有固定的方式。一个聪明的人在看见别人急于结束的时候，就会说："稍微等一会儿，我们很快就会结束了。"

另一方面，真正的效率是一件很有价值的东西。因为时间是衡量企业的标准，就像货币是衡量商品的标准一样。所以如果做事太没效率，事业是需要付出昂贵的代价的。人们认为斯巴达人和西班牙人是很迟缓的，因而有"让我的死亡从西班牙来"一说，意思是这样死亡就会来得很慢。

好好听那些给事务第一手信息的人的话，并且最好在开始前引导他们，而不是在中途插嘴打断他们。因为他们原本是有自己的思路的，打断后他们的思路就会混乱。并且当他们搜寻记忆说话的时候，比他们按着自己的方式说话更枯燥，更惹人生厌；但有时打断他人发言的人比发言者更令人讨厌。

重复说明通常是浪费时间，但是没有比重复说明更能获得时间的方法了。因为当这些话说出来的时候，已经砍掉了许多多余的废话。冗长的讲话与效率的适合度，就像礼服或者披风与赛跑的适合度一样。开场白和过渡，还有自解的话，都是极为浪费时间的，尽管在他们看来是谦虚进行的。那其实是华丽进行的。然而在别人有阻碍或妨碍的意愿的时候，我们就要小心，别太直接了。因为有远见的头脑总是需要说序言的，就像热敷的时候总要先让药膏侵入一样。

最重要的，顺序、分配、挑选是效率的生命，只要分布得不过分细微。因为不善于分类的人总是能处理好事务，而能够分类的人又总处理不好事务。选择时间就是节省时间。一个不合时宜的举动就像打空气一样。办事有三个部分需要注意：准备、讨论或调查，还有完善。如果你想要寻求效率的话，就要让中间这一工作由多人来分担，而第一个和最后一个则只需要少数人来完成。使事情进展得有效率的方法就是构想出一个主要的框架。虽然它也许会被完全拒绝，然而，消极的指导总比含糊的指导更有前景一些，就像柴灰比尘土更有利于生产。

论表面之智

有一种意见说法国人比他们看起来更聪明，西班牙人则是看起来比实际聪明。但是不管这些国家如何，人与人之间却确实如此。因为圣保罗对于敬虔有一言："有敬虔的外表，但否定了敬虔之力。"所以有许多聪明且富有智慧之人什么都没做或者只做一些小事，却显得非常庄严。"以极大的努力来做琐事"说的就是这样。对于一个有判断力的人来说，去看那些用什么形式或利用什么机械来改变，并把表面变得看起来如此有深度且重要，是一件非常可笑又讽刺的事情的。有些人是隐秘且有保留的，就像他们除非在黑暗中，否则不会展示他们的商品一样。并且总是看起来像保留了一些话一样。当他们不是很了解一件事的时候，他们说得就像自己很了解一样，并装作一副他们不能明说的样子。有些人通过面容和姿态来让自己看起来聪明。就像西塞罗谈到皮索：当皮索回他话的时候，他的一条眉毛都要到额头，另一条则要到下巴上去了。"你回答，一条眉毛到额头，一条眉毛到下巴，证明你不是残忍的人。"一些人认为说一些伟大的字眼儿，独断不容置辩，把他们不能证明的事当作没有问题，就可以成为智者。一些人对于他们无法触及的东西，就会露出一副鄙视或者轻视的样子，把它们当作无礼或者未知的东西。这样他们就可以让他们的愚昧无知看起来有智慧。一些人总是有不同的意见，通常通过对白来娱乐他人，引开话题。盖里亚斯说："一个愚蠢之人，通过语言和细节毁了一件大事。"关于这种人，柏拉图在他的《普罗塔哥拉》中轻蔑地提到普罗流斯，并让他说了一段从头至尾不相符的话。一般来说，这样的人在所有的商议中总是站在反对方，并且希望以抗议和预示困难而得名。因为当一个议案被否定的时候，这件事就算完结了。但如果被通过的话，就需要去做一些新的工作。这种聪明的误区是事业的灾星。总之，没有衰败的商人或者极端贫困的乞丐为了维持他们的财富名声有那么多的诡计，就像这些空虚的人为了维持他们富有的名声一样。表面聪明的人也许可以设法得到舆论，但是不要让任何人雇用他们。因为你宁可找一个荒谬的人，也不要找一个过于表象的人来处理事务。

论 友 谊

要在寥寥数语中同时道出真理和谎言是非常困难的，除了这句——

"喜欢孤独的人不是野兽就是神。"因为有着自然的、隐秘的,对于社会憎恶和反对之人,都稍微有点野兽的性质。这是真实的。但是要说这样的人还有神的天性的话,就是不真实的了。除非他并不是因为喜欢孤独,而是出于靠远离人群来提升自我的一种喜爱和意愿。有些人被发现假冒这样的人,比如坎地安的伊比文尼迪、罗马的努马、西西里的恩培多克勒,还有提亚纳的阿波罗尼奥斯。并且在教会的古代隐士和神父中也确实有这样的人。但是几乎没有人能理解孤独到底是什么,以及能延展多远。因为并不能把一群人直接叫作团体。这样的表面只是一幅画廊里的画。而交谈也不过只是叮当响的钹而已。是没有爱的。这种情形有一句拉丁谚语可以用来形容:"一个大的城市就是一个大的荒僻之地。"因为在一个大城市里,朋友们都是散居各地的,所以没有伙伴关系,在很大程度上说,这里是很少有邻里情谊的。我们可以更进一步肯定地说,缺乏真正的朋友是纯粹的悲惨的孤独。没有友谊,这个世界不过是一片荒野。甚至在孤独的意义中,那些天性和感情中不适合交朋友的人,其天性都是来自野兽,而不是人。

友谊的主要效用之一就是使放在心中的愤懑之情得以宣泄释放,这些愤懑不平是各种感情引起的。我们知道疾病闭塞在身体里是最危险的。精神也差不多。你可以服用撒尔沙来通肝,补铁来通脾,食硫花来通肺,闻海狸香来通脑。但是除了一个真正的朋友,是没有任何药材可以通心的。一个真正的朋友,你可以对他告知你的悲伤、欢乐、害怕、希望、疑惑、劝言和任何压在你心上的事情,就像一种平民的忏悔或告解。

我们观察到伟大的君王非常重视我们所说的友谊的作用,这是非常奇怪的一件事。他们太重视友谊,常常冒着风险拿自己的安全和崇高来换取。因为作为君王,与自己的仆人与臣民之间都是有距离的,所以不能得到友谊这样的东西,除非(为了使自己有得到友谊的能力)他提拔一些人到几乎等同于自己的地位,但是这样的擢升很多时候都是不便的。用现代的话来说，这样的人就是"宠臣"或"私有物"。好像他们就是因为恩泽或谈话而拥有这样的地位一样。但罗马所冠之名才真正道出了他们的作用和由来，那就是"分忧者"。因为这才是他们真正连接在一起的原因。并且我们可以清楚地看到这不是只发生在软弱多情的君王身上，也发生在最睿智最谨慎的统治者身上。与他们的仆从结交，称兄道弟，并且允许他人以同种方式称呼他，用私人之间彼此一致认可的言语交谈。

苏拉掌控罗马时，把庞培（后来冠以伟大之姓）擢升到很高的地位，以至于庞培以苏拉不及他来自夸。因为当他帮助他的一个朋友争取官职的时候，与苏拉所选之人有出入，苏拉对此有一些愤怒，并且开始说一些严重的话，而庞培反唇相向，并让他住嘴。因为拜日出之人多于喜欢日落之人。论及恺撒，德西默认斯·布鲁图得到了恺撒的喜爱，在他的遗嘱中把他设立为次于他侄子的第二继承人。这也是一个有能力把他带向死亡的人。恺撒因为出现一些坏的预兆，尤其是卡尔普尼亚的一个梦，于是想要解散议会时，这个人站出来拉住恺撒的胳膊，告诉恺撒他希望恺撒不要解散议会，直到恺撒的妻子做了一个好梦时再召开。看起来他的宠爱是无比大的。比如安东尼，他在一封信中详述了对西塞罗的抨击，并称他为妖人、巫婆，就像他用魔法迷惑了恺撒一样。奥古斯塔斯把阿格里帕（虽然出身贫寒）提升到很高的位置，所以当他问麦西那斯关于他女儿朱莉亚的婚事时，麦西那斯告诉他，如果他不把他的女儿嫁给阿格里帕，就杀了他。没有第三条路可走，他已使得阿格里帕太过强大。而提比略，把苏简那斯升到极高的位置后，被人认为是朋友。提比略在给苏简努阿斯的一封信中写道："这些事，由于我们友情的需要，我没有隐瞒你。"并且整个参议院专门为友谊筑了一座坛，就像女神一样，来对他们之间的友谊表示尊重。类似的或更多的例子是塞维鲁斯和普劳梯亚之间的友谊。因为他迫使他的大儿子去娶普劳梯亚的女儿。并且往往袒护普劳梯亚努斯对他儿子的冒犯；并写了一封信给参议院，说了这些话："我爱这个人如此之深，希望他能活得比我长久。"现在，如果这些君王是图拉真或者马可·奥里利乌斯，可能会认为这是出自善良的天性的。但是这些人都是如此聪慧，有着如此有力且严厉的精神，并且极端地爱自己，但是所有这些人都是这样，就可以明显证明他们发现自己的幸福（尽管就像发生在凡人身上那样伟大）如果没有一个朋友来使之完整的话，就只是一个碎片而已。然而更甚者，有的君王有了妻子、孩子、侄子，但是这些都不能为他提供友谊所带来的安慰。

康明奈亚斯讲述他第一个主人哈代的查尔斯公爵的话是不能被忘记的。那就是他不会与任何人谈论他的秘密，尤其是最使他为难的秘密。于是康明奈亚斯继续说："到他生命晚年的时候，这种隐秘会损害他的理智。"当然，康明奈亚斯高兴的话，也可以对他的第二位主上路易十一下同样的断言。其隐秘确实是他自己的灾星。毕达哥斯拉的寓言是隐晦而真实的："不要吃你的心。"当然，如果人们用一个严厉的措辞说话，就是那些缺乏朋友来敞开心扉倾诉的人，就是吃自己心的食人族。但是有一件事却是很值得惊奇的（我将以此结束友谊的第一种成效），那就是，一个人向他的朋友倾诉会产生两个相反的结果，因为它既能使欢乐倍增，又能使忧愁减半。因为没有人不因为把自己的乐事告诉朋友而更为欢欣，也没有人把自己的忧愁告诉了朋友后却没有减少忧愁。所以实话说，友谊对人的精神来说，就像炼金术中的身体所需要的石头一样。它生效的时候会产生相反的作用，但仍是好的并且对天性有利的。但即便不在炼金术上，自然中也有这样的明显的写照。因为物体相合就可以加强一些自然作用，另一方面又可以削弱并打击暴力的影像。人心也是这样的。

友谊的第二个效用就是有益于健康和控制认知。就像第一种效用之于感情一样。因为友谊在情感方面确实把暴风雨的天气变成了晴天，在理智方面从黑暗和乱想中走出来，到光明和理解的地方来。这不仅仅是指从朋友那里得来的劝言。在你到达这种程度之前，每个人的心中自然都会有着许多不愉快的想法，这时候能与他人讨论的话，他的心智与理解都会变得清晰通透。他的头脑也会运转得更快，排列也会更有序。他可以看见他的思想是如何变成了语言。最后他变得比原来更加聪明。而一小时的谈话比一天的冥想更为有效。铁米司任克列斯对波斯君主的话说得好："谈话就像阿斯拉的布料，打开放在室外，图像是明显的，但是思想就像卷起来的布一样。"友谊的第二个效用就是启发理解力，不是只限于那些能给人忠告的朋友（他们当然是最好的），即使没有这样的朋友，一个人也能靠着自己，让自己的思想发光，就像在石头上打磨一样磨砺自己的心智。总而言之，一个人，与其让自己的思想窒息，还不如向一个雕像或者一幅画倾诉。

现在，为了使友谊的第二个效用完整，有一些连庸俗之人都能注意到的办法，就是朋友的忠言。赫拉克利特的一句话说得好："干燥的光总是最好的。"一个人从另一个人的劝言中所得到的光明之干净纯粹，岂是从自己的理解和判断中得到的可比的？从自己的感情和习惯中得到的光难免会受到自己的感情和习惯的影响。因为，朋友所给的劝言和一个人自己的想法是有很大的差异的，就像一个朋友的劝言和一个马屁精的阿谀奉承的差别。因为没有像自己一样的奉承者，并且没有那么一个像朋友一样，直言不讳地应对人自身的自我奉承心理的补救方法。劝言有两种：一个是关于行为的，一个是关于事业的。说到第一种，保持心理健康的最好防腐剂就是朋友的忠言。对自己的严厉自责是一种药，但有时候过于猛烈，有腐蚀性。读关于德行的好书有一些无聊呆板，在别人身上观察自己的错误有时候又与自己的情况不符。最好的药方（最有效并且最易服用的）就是朋友的劝谏。这是一个奇怪的事情，许多人（尤其是伟大的一类人）因为缺少一个朋友告诉劝谏他们而做出了极大的错事，破坏了他们的名声和境遇。因为，正如圣詹姆斯说的，他们就像照镜子的人，不久就会忘记他们的样子和喜好。至于事业，一个人也许会认为两只眼睛看到的不超于一个眼睛看到的。或者以为局中人永远比旁观者看到的更多。或者以为一个愤怒的人比一个数完二十四个字母的人要更聪明。或者以为一支步枪放在手臂上比放在托架上射击更有力，等等这些都是对自身盲目过高的想象。但是当所有这些都试过了，会发现还是忠言的帮助更能使事业稳步前驱。并且如果有人想听取他人的劝言，最好只是采纳一些。在一件事上听取一人之言，另一件事上听取另一人之言。这样也很好（就是说，问一些总比谁都不问好）。但是有两个危险：一个是他得不到忠实的建议，除非是一个真正的朋友的劝言，否则都会因为私利而让劝言歪曲。另一个危险是他得到的忠告是有害和不安全的（尽管用意良好），混合着一部分的危害和一部分的补救方法。就像你生病的时候为了痊愈而叫一个医生前来诊治，但是却不熟悉你的身体。因此医生也许会对你用以前的方法来治疗，但在其他方面损害了你的健康，于是治愈了疾病而杀害了病人。但是一个完全通晓你的事业的朋友则不一样，他会小心注意，以免因为推进你目前的某种事业而给其他的事业带来不便。所以最好不要依靠零散的忠告，它们更容易使人分心和误解，而非解决指导问题。

  在友谊的两个高贵的效用（感情的平和与判断上的支持）之后还有最后一个效用。这效用就像石榴一样充满了许多内核。我的意思是帮助并负担了所有的行为和时机。若要把友谊的多种用途都明确地描述出来，最好的办法就是看有多少事是一个人自己不能完成的。然后就显示出古人所说的"朋友就是另一个自己"还不能完全表述友谊的一处：因为一个人远比另一个自己要更为有用。人的生命有限，通常在他们完成他们心愿之前就离世了。比如子女的婚事，还有工作的完成，或类似的。如果一个人有一个真正的朋友，他就可以放心了。这些事情在他死后也是会有人继续关心的。所以一个人在心愿上是有两个生命的。一个人有一个身体，身体是局限于一个位置的。但是有友谊的地方，生命就无处不在。好像对他和他的代理人来说是理所当然的。因为他可以通过他的朋友来做一些事。有多少事是一个有着脸面的英俊之人不能靠自己做或者说的？一个人不能因为谦虚不表露自己的功勋，也不吹捧它们。一个人有时候也不能忍受恳求。类似的事情还很多。但是所有这些事情从一个朋友的嘴里说出来都是得体的，而在另一个人的嘴里则是无礼的。所以再次，许多固有的关系是不能抛开的。对孩子说话，就不能不以父亲的口吻。对妻子说话，就不能不以丈夫的口吻。对敌人说话，就不能不顾及体面，而对于自己的朋友就可以就事论事，不会因为人而有所顾虑。但是若要列举，这样的事情是无穷尽的，我只能给出一条规则：就像在舞台上，如果一个人没有朋友，他就不能扮演好自己的部分而只能退出这个舞台。

论 消 费

财富是用来消费的，而消费是为了荣誉和善举的。因此特别的消费必须受其价值控制而加以限制。就像为了天国一样，为自己的国家，无偿奉献。但是普通的消费应该受一个人的财产的限制，并且要管理好各方面，务必在自己的能力范围之内，不要受奴仆的欺诈和毁谤。并且在表面上表现好，而实际比他们看到的付得更少。当然，如果一个人想要收支平衡，那么他的普通消费就应该是他收入的一半。如果想要达到富裕的程度，那么他的支出就只能是收入的三分之一。大人物们盘点审视自己的财产也并不是一件卑劣的事。有些人克制住了没有去盘算财产，不是因为疏忽了，而是怀疑那会给自己带来悲伤，因为他们可能会发现自己已经破产了。但是没有检查，伤口是不会痊愈的。那些从来也不为自己检查财产的人，需要挑选雇用一些人来帮助他，并且常常更换。因为新人总是多一些胆怯而少一些狡诈。不能检查自己财产之人也应当让所有的事都有确定性。一个人如果在一些事上花费得太多，那么他就必须在其他的事上节约回来。比如，如果他在食上花费太多，就要在衣上节约；如果在住上花费太多，就要在行上节约，等等，诸如此类。因为在所有事上都花费太多之人几乎没有不腐败的。在清偿债务的时候，过于快速还清也是对自己有伤害的，就像久欠不还一样也有危害。一次性还清债务的人会再次走上借债的道路。因为他发现自己没有债务的困难后，会再次回到以前的状态。但是那些逐渐地还清债务的人会养成节俭的习惯，他的精神如他的财产一样会获得更多。当然，需要补救财产的人是不能忽视小细节的。并且通常减少一些不重要的花费比屈从小利要更好一些。一个人应该谨慎承担那些一旦开始就要继续下去的费用。但是在一些没有下一次的消费中，可以更大方一些。

论王国的真正伟大之处

雅典人地米斯托克利的一次讲话，是非常傲慢和目中无人的。这使他受到了他人的严厉评论和责难。他在一次宴会中被人邀请弹奏鲁特琴，他说，他不会拉琴，但是他能把一座小镇变成一座大城。这些话（用一些隐喻来辅助一下）可以表示处理国事中两种不同的能力。因为如果真正观察一下顾问和政员，就会发现（虽然很少）那些能使一个小镇变大，但是不能拉琴之人了。另一方面，也会发现许多人能够将琴拉得很美妙，但如果要让他们将小镇变成一个大国，他们还差得远。因为他们得到的是另一种天赋——能使一个伟大而繁荣的国家变得腐败。并且许多官员和政员能凭借那些堕落的艺术和手段，来获得他们主上的喜爱。他们只配得上"弄琴者"之名。因为这些只不过是一时之欢愉而已，只有他自己会受益。但是对于国家的幸福和进步，他们没有为之做出任何贡献。当然，有些臣子也是能够（等同与有才）管理事务，并使其避免末路和明显麻烦的。但是他们仍然没有能力把国家的力量、财富和前途提高增强。现在不管工作的人如何，让我们来谈一下事务。那就是，国家的真正伟大之处和让其伟大的方式。这是一个伟大的君主应讨论的。这样最后他们就不会因为高估自己的力量而陷入徒劳的计划里，也不会低估自己，让自己屈从于恐惧胆怯的谏言。

　　一个伟大的国家的领土是可以测量的；财政收入的多少是可以计算的。人口可以通过集合统计，城镇的数量和大小可以通过版图看到。但公民间的事务中没有比关于国家力量的评估和判断更容易出错的了。天国没有被比作大的果核或坚果，而被比作芥种的谷粒。这是一种最小的谷粒，但却有迅速发芽和传播的特性。所以有的国家的领土很大，但不容易放大自己的版图或掌控他国。还有一些国家面积非常小，但却能成为强大君主国的基础。

　　坚固的城邑、兵工厂、军械库、优秀的种马、战车、大象、军械、火炮等，这一切都不过是披着狮子皮的绵羊，除非人民的品质和性格都是勇敢和好战的。不仅如此，如果那里的人们都是缺乏勇气的，那么军队的数量再多也是没有用的。因为（正如维吉尔所说）"一只狼从不怕有多少只羊。"波斯的军队在阿贝拉平原犹如一片浩瀚的大海，使得亚历山大军队的指挥官惊讶。因为他们来到亚历山大面前，并希望他能够在晚上进攻。但他回答说，他不会偷取胜利。结果他非常容易地打败了敌人。当亚美尼亚的提格拉涅斯率领四十万人安营在一座小山上，发现罗马军队不超过一万四千人向他进攻的时候，他觉得非常好笑，并说："那些人作为使者来说就太多了，作为战士来说又太少了。"但是在太阳落山之前，他发现敌人已经足够追逐他并屠杀他了。关于数量和勇气之间的例子是有很多的。因此，人们可以断言，主要的一点就是任何国家想要变得伟大，都需要一个勇敢善战的民族。金钱是战争的肌肉（通常是这样说的），如果人们卑劣柔弱，那么即使两臂有肌肉，也是不能成事的。梭伦对克洛伊斯说得好（当他卖弄富有的时候，他把黄金展示给梭伦），他说："陛下，如果其他有比你拥有更好的铁的人，他就会变成这些金子的主人。"因此任何国家的君王都应该对自己的部队有清醒的认识，除非他的军队是原住民并且骁勇善战。另一方面，拥有勇敢好战的士兵的君王应当清楚自己的力量，除非他们在其他方面有缺陷。所有的例子都表明，国家或君王用金钱雇用的军队（即自己的臣民不可靠时），会在一时得利，但很快就会失去风头。

犹大和以萨迦的福祸是永远不会相同的。同样的人或者国家不会又是幼狮又是负重的驴，所以被赋税覆盖的人民也不会变得骁勇善战。比起君王一人独断专行所定的征税，人民同意的征税会较少地削弱人们的勇气。这样的例子在低地国家的税务中可以看到。在某种程度上，英格兰的税务也是这样的例子。你必须要注意到我们现在谈论的是心而不是金钱。所以尽管同样是征税，因为一致赞成而实行的和因命令而实行的，即使钱数一样，对于勇气的作用也是不同的。所以你可以得出结论：苦于赋税的人民是不适合建立帝国的。

有伟大目标的国家应该当心不要让本国的贵族和绅士繁衍太快。因为这样会使普通的民众沦为农夫和卑贱的村民，使他们意志消沉，成为绅士阶级的劳动者。就像你可以在丛林中看到的一样：如果把树种得太密，你就不会有规则的丛林，而只有灌木丛而已。所以国家也一样，如果绅士阶级人数太多，平民会变得卑贱，就会发生一百个头颅中也没有一个头盔的情况，尤其对于是作为军队神经系统的步兵。因此这样的国家就会有较大的人口但只有很小的力量。关于我所说的，可以把英国和法国用来比较说明一下：英国虽然在领土和人口上都远不及法国，但也是一个足以匹敌的对手。因为英国的中间民众好多都可以成为士兵，这是法国的农夫们不能做到的。因此在英国国王亨利七世的法典中，有对于这个问题令人深刻的极好的见解。他把所有的农场和房屋都标准化了，也就是，保留一部分的土地给人们，这样他们就可以培植作物，有充足的粮食来生活而不至于屈从。并且使得耕地掌握在拥有者手中，而不是租用。于是这样就可以达到维吉尔所说的古意大利那样的情景了：一个兵力强盛、土地肥沃的国家。还有一种情形（据我所知，几乎是英国特有的，除了在波兰可能发生外，其他地方几乎是不可能的）也是不可以忽略的：服务于贵族和绅士的人都是自由的人。这些人在军事上也不比自耕民差。因此贵族和绅士们富丽堂皇的生活、好客、礼仪，成为风气后，是会有益于军队的壮大的。但是，相反地，如果他们过着隐秘、有保留的生活，就会引起军力的赤贫。

无论用什么方法，都要使尼布甲尼撒梦中所见的王国之树干强大到足以承受树枝的程度。就是说，比起统治外来者，君王在统治本国臣民的时候，在数量上应该有适当的比例。因此所有能够自由入籍的国家都是适合成为帝国的。如果认为一个人口少的国家拥有极大的勇气，就可以征服一个大国并控制它，这样的情况在短时间内是有可能的，但是这样的国家会突然垮掉。斯巴达人对于入籍管理得十分严密，他们站在自己的领土上时，是很稳固的；但如果他们要扩张版图，他们的树枝对于树干来说就会变得过于庞大，就会突然陨落。在入籍这一点上，没有一个国家比罗马更开放了。他们接纳所有的外地人来到他们的土地，就像自己本国的人一样。因此他们得到了相应的结果，成为了最伟大的帝国。他们的方法是给予入籍权（他们叫作公民权）并使之达到最高的程度。就是说，他们不仅把贸易权、通婚权给予入籍者，还把继承权、选举权和任职权赋予他们。并且这样的享受者不是一个人，而是一整个家族。不但如此，一个城市，有时候一个国家也享有这样的权力。再加上他们的移民和殖民，罗马这种植物就被栽到其他国家的土壤中了。把这两个法令合在一起，你可以说罗马人没有传播到世界上去，但是全世界都蔓延到罗马来了。抛开所有问题，这确实是成为伟大国家的方法。我有时对西班牙感到惊讶，他们是如何在只有少数西班牙血统人民的情况下统治如此大的领土的呢？但是，西班牙的领土确实就像一棵体积庞大的树，在开始的时候，远远高于罗马和斯巴达。而且，尽管他们没有入籍这一政策，但在其他方面实行了一些政策。即在普通士兵组成的民兵方面，他们没有国籍限制。有时候在他们的最高指挥官中，也会出现外籍者。并且在官方批准公布的法令中，他们也意识到了本土人的稀缺。

可以肯定的是，久坐不动和在户内的技艺——精密的制造（需要巧力而不是蛮劲）是与他们本性中的好战性格矛盾的。一般来说，所有好战的人都有点空闲和爱好危险甚于劳动。如果要使他们保持现在的活力，就不要对他们太过于束缚。因此古代的很多国家，例如斯巴达、雅典、罗马和其他国家，都使用奴隶，让他们来劳动。但是大部分的奴隶制度已经被基督教律废除了。而和这种方法最相近的就是让那些外地人来做这些需要技艺的劳作（为此目的，外地人更容易被接受），而本国大部分粗劣的人则分为三种职业：耕地的、自由奴仆和强壮的手工技艺者，比如铁匠、石匠、木匠等。正式的军人是不算在内的。

但是最重要的是，一个国家想要强大，就必须把军事力量作为最主要的荣誉、学问和职业。因为我们上面所说的所有的事都只是军事的准备，如果没有意向和行动，这些准备又有什么用呢？罗穆卢斯死后（谣言所说）给罗马送来了一份礼物，告诉他们要重视军事，这样罗马就会成为世界上最伟大的帝国。斯巴达的国家组织是全部（尽管不明智）以此为框架的。波斯人和马其顿人中也曾出现过这种情况。高卢人、德国人、哥特人、撒克逊人、诺曼人和其他人一样，在一段时间内也出现过这种情况。土耳其人如今还是这样，尽管已经有所改变了。在欧洲的基督教国家中，实际上只有西班牙还是这样的。但是毫无疑问，每个人最得利的就是平时最致力的事。这个道理很明显，因此只是提点一下就够了。一个国家如果不崇尚武力，就不必希望突然变得强大。相反，崇尚武力的国家（如罗马和土耳其）是能够成就大事业的。那些一时声称武力至上的国家，尽管一度达到了帝国的规模，但是长久以后，他们对武力的崇尚会衰退。

与这一点相关的还有，一个国家最好有一些法律或习俗可以让他们有适当的原因（或是借口）发动战争。因为，正义是烙印在人们的天性中的。除非是有一些理由（灾难接踵而来），他们才会参战。土耳其经常以传播宗教为由开战。这是他们常用的一种手法。罗马人，尽管他们在扩展了有限的领土后，对他们帝国所做的报以极大的尊崇，但他们从没把开拓疆土作为发起战争的好理由。因此，首先要让有意图变得强大的国家，对不正义的事敏感。不管是对边界之人，还是商人或使节。并且不要对别人的挑衅坐视不管。其次，让他们准备给予同盟援助，就像罗马人曾做的那样。甚至，如果有联盟国与其他国家结盟，在盟国受到入侵而恳求各国出兵相助的时候，罗马人也总是会最先出击，不会让其他任何国家获得这种荣耀。至于古人为了一党一派或实质相同的整体而发起的战争，我看不出其中合理的理由：就像罗马因为希腊的自由而战，或斯巴达人和雅典人为了建立民主国家推翻寡头统治而战，或一些外国人的战争，打着正义的幌子，来推翻专制与压迫，等等这样的事。总之一句话，有了正当理由却没有立即动兵的国家，是不必期望能变得强大的。

没有人可以在不锻炼的情况下保持健康，人的身体如此，政治也是如此。当然，对于一个王国或地区，一场正义光荣的战争才是真正的运动。一场内战事实上就像发烧，而一场对外战争就像运动发热，可以保持身体的健康。因为在一个懒惰的和平中，所有的勇气都将变得柔弱，风俗也会变得腐败。但是无论如何，为了幸福，或者为了帝国的伟大，应该持续加强军备，这样的军队力量（尽管这是需要付出代价的）才是可以使统治者站稳脚跟、发号施令的，或者至少在各邻国中有名声的。西班牙就是这样的，他们在其他欧洲国家几乎长期驻有精兵，迄今为止已经有120年了。

一个国家，若能成为海的主人，就可以算得上一个帝国了。西塞罗在写给阿底居斯的关于庞培对恺撒的军事准备的信中说道："庞培遵循的是铁米司任克列斯的政策，认为谁统治了海洋，就统治了一切。"毫无疑问，如果庞培没有因为自大而舍舟从陆的话，他一定会使恺撒疲于奔命。我们看到了海洋的重大影响。亚克兴战役决定了世界帝国，勒班陀战役阻止了土耳其的强盛。有许多的例子都显示海战成为了最后的结束战役。当然，这种情形一般是由于君主把这场战役当做了决战。但可以肯定的是，拥有海上霸权的国家是自由的，他们可以根据自己的意愿决定战争的多少。而那些在陆地上最强的国家也通常处于困境。当然，如今欧洲的许多国家中，在海上力量有优势（这是大不列颠王国最主要一个优势）是非常好的，因为欧洲的大部分国家都不仅仅是内陆国家，而是围绕着大海和部分岛屿的。并且东西印度的财富大部分都是为握有海上霸权者所得。

相较于古代战争给人们的光辉印象，近代的战争看起来就像在黑暗中一样。现在，为了鼓励士气，也会有一些爵位和骑士圣职。不过是杂乱地授予，并没有区分士兵与非士兵。还有一些纪念的标牌和一些专门针对伤残士兵的医院等。但在古代，在胜利的地方树立功德碑，在战士阵亡的地方立纪念碑，祭献王冠和花环，君王的气派，凯旋，军队解散的赏赐，这些都是可以激发人们勇气的事。最重要的是罗马人的凯旋，不是穿着华丽服饰的盛装游行，而是二世最明智最尊贵的从没有过的制度。它包含了三件事：对将军来说是光荣，对国库来说是富裕，对军队来说是赏赐。但是荣誉也许并不适合帝国，除非是因国王或其子嗣而来的荣誉。就像后期的罗马皇帝做的那样，他们用自己或自己子嗣参加战争的凯旋活动来庆祝自己的成就，而如果是庆贺臣子的胜利，则只是穿着华服举着旗帜而已。

总之，如《圣经》所言，没有人可以因为花费了心思，就给这个小结构——人体——增高一寸；但在王国和共和国这样的大结构当中，君王的力量是可以为他的国家增加疆域和使其强大的。通过颁布一些法令、宪法和实行一些习俗（像我们上文说的），他们也许就可以给后代播下伟大和成功的种子。但是这些事通常不被注意，儿孙自有儿孙福，那就让他们靠自己的运气吧。

论 养 生

有一种智慧超出了医学的规章：一个人自己观察自己，并找出有哪些方面好，哪些方面坏。这是最好的保持健康的医术。并且在下结论的时候，"这个与我不符合，因此我不会继续用它"比"我发现这对我没有害处，因此我要用它"更为安全。年少的时候，体质的力量可以负荷过多的一些东西，但是都会记在账上，到了一定年纪之后，你的身体就要为之付出代价了。要注意自己年纪的增加，不要认为仍然可以做同样的事，因为年龄是不可以反抗的。要谨防在饮食上大的突然改变，如果确实有必要改变的话，也要改变其他的部分来适应。因为自然界和人体有一个秘诀，就是改变多项比只改变一项更为安全。检查一下你每日的饮食、睡眠、锻炼、服装等习惯，并把其中你认为是对你有害的东西渐渐改变。但是如果在这些改变中你觉得有任何不好的地方，可以回到原来的习惯。因为区别好的与适合的是非常难的。在吃饭、睡觉、运动的时候也应保持心情愉悦，这是长寿的秘诀。至于精神上的感情和想法，则应该避免嫉妒、焦虑和恐惧，内心的愤怒，奥秘难解的研究、过度的快乐和无法表达的悲伤；应该抱有希望；欢乐而非玩乐；多种欢乐而非过度欢乐；有好奇与钦佩，这样可以有新奇性；学习让自己精神辉煌卓越的事物，像历史、寓言和对自然的冥想。如果你在身体完全健康的时候不用药，那么当你需要的时候，你的身体就会对这些东西反应剧烈。如果你经常用药，当你生病的时候这些药就不能发挥很好的药效。我比较赞同在特定的季节吃一些特定的食物，这样比频繁地吃药要好得多，除非吃药已经成为一种习惯了。因为那些事务是可以改善人们的体质让其少出毛病的。不要小看身体的一些小病，要去详细询问这种症状。在生病的时候，主要考虑健康；在健康的时候，主要考虑运动。对于那些长期锻炼身体的劳作之人。当他们生病的时候，只需要注意饮食和休息就可以痊愈了。塞尔苏斯如果不是同时被人称为医生和智者，他是不会说出这样一个保持健康长寿的箴言的：即人们应该交换做相反的事，但是应该偏向于更有益的一方——使用禁食和饱食的方法，但是注重于饱食；观察与休息，但是注重于休息；坐和运动，但是注重于运动，等等这样的方法。所以体质是可以珍惜保养，得到控制的。一些医生对于他的病人十分和颜悦色且迁就他们的情绪，因为如果他们强迫了病人，治疗的疗效就不会那么好了。有一些其他的医生则是按着规矩固定不变地治病，不注重病人自身的实际情况。要找一个介于两者之间的医生，如果找不到这样的，就要把两种类型的医生结合起来。不要忘记找那个最熟悉你身体的医生，就像找一个技术最好的医生一样。他们都是非常重要的。

论 猜 疑

思想里的猜疑就像鸟类中的蝙蝠一样，它们总是在黄昏的时候飞行。当然，它们应该被制止，或者至少应该受到控制。因为它们使人们头脑发昏，疏远朋友，并且牵连到事业，让许多事情不能继续进行。猜疑能让国君施行暴政，让丈夫倾向嫉妒，让智者犹豫烦忧。猜疑的缺点，不在于心，而在于脑。因为猜疑在心性坚不可摧的人身上也会发生，比如英格兰国王亨利七世，没有一个比他疑心更重的人，也没有一个比他更勇敢坚定的人。在这样性格的人身上，猜疑只能造成一些小的伤害。因为通常这样的人是不会随便相信，而会去追查事情是不是这样的。但是在有畏惧天性的人中，猜疑增长得很快。没有什么比知道得太少更能使人猜疑的了。所以人们应该设法知道更多情况来消除猜疑，而不是使猜疑窒息。人们到底想要什么呢？他们以为他们所用和所结交之人都是圣人吗？他们以为那些人不会为自己做打算，比忠于自己更忠于别人吗？因此，没有更好的方法比把怀疑的事情当作真的来加以对待更能控制猜疑的了。因为人们应该在一定程度上利用猜疑，如果他的怀疑是真的，那么他在加以防范之后，就不会受到伤害。头脑里的怀疑只是"嗡嗡"的声音而已，但是根据传言和告密接收到的消息产生或助长的猜疑是有刺的。当然，在猜疑之林中，最好的消除猜疑的方法就是坦诚地与猜疑一方沟通，因为这样就可以比以前知道得更多，并且可以使对方更小心谨慎，不再引起别人的猜疑。但这对那些本质卑劣的人没用，因为这样的人如果发现自己曾经被怀疑，就永远不会再真实对人。意大利人说："猜疑是为失信辩护。"好像猜疑给了信任一本护照一样，但本该是猜疑点燃了信任而消除了自己才对。

论 谈 话

有些人在他们的谈话中因为能够掌控所有的争论而被冠以才智之名，而不是因为在判断中能够辨明真伪。好像知道应该说什么而不知道该思考什么，是一件值得表扬的事。有些人在某些常见的领域和主题上能够说得很好，但是缺乏变化。这类的缺乏在很大程度上都是乏味的，并且一旦被人感知，就让人觉得荒谬。谈话最可敬的一部分就是引起话题，并且再把话题引导到别的地方。如果这样的话，这个人就可以成为领舞者了。在演讲与谈话的时候，能有一些改变，并且将论据融合到现在的谈话中，将理由融合到故事中，将讲述观点融合到提问中，郑重融合到玩笑中，都是非常好的。因为总是谈论一件事情是一件很枯燥的事，就像我们现在所说的"过度驾驶之轮"。关于玩笑话，在有些话题中是应当避免的，比如宗教、国务、伟人、人们当前面临的要事以及值得同情的事。然而有些人认为一定要锋利辛辣、伤他人之心，否则人们会说他们才智迟钝——这种脾气是应当制止的。"男孩，少使鞭子，多抓缰绳"，说的就是此理。

一般来说，人们应该辨得出咸和苦的区别。当然，一个爱讽刺的人，因为他要使别人害怕他的才智，所以他需要害怕别人的记忆。问问题越多的人，学到的东西越多，记住的东西也就越多。尤其是他所问的问题正好是所问之人擅长的情况下。因为这样可以使他们愉悦而主动地说话，他自己则增长了知识。但是如果问题过于麻烦，那样就是一件棘手的事了。而且要注意让别人也要有机会发言。如果有人想主导谈话而占用了所有时间，就要找一些方法来阻止他，让其他人来发言。就像音乐家们见那些跳轻快的三拍子舞蹈太久的人所做的一样。如果你明明知道某事儿而假装不知道，下次当你真的不知道某事时，别人也会认为你知道。一个人说话应少些，并且仔细斟酌。我知道一个人在蔑视他人的时候说："他必定是一个聪明之人，他对于自己谈论了如此多。"只有一个方法可以让一个人在赞扬自己的时候被人欣然接受，那就是在表扬别人长处的时候，而这个长处也恰恰是自己所具有的。触及他人痛处的话应少说，因为谈话好比一个领域，而不是直通到某人的家。我知道两位贵族，都是英格兰西部地区的。其中一个爱嘲讽他人，但是总是在家中办一些大规模的狂欢聚会。另一个人就会问那些来参加的人，"老实告诉我，从来没有一些鄙视的玩笑话发生吗？"对于这个问题，客人就回答说某某事发生过。那贵族就说："我早知道它会毁掉一顿好的餐宴。"谨慎说话好过于雄辩。与我们谈话之人说一些大家都同意的话比说一些好话或按好的顺序说更好。一个能长篇大论的人，却不善于对话，则显得迟钝了。如果善于对话却不能坚持到结尾，就显得肤浅和无力。和我们在野兽中看到的一样，在前行方面很弱的就会在翻转上很灵活，就像灰狗和野兔。在说及正事前做太多的铺垫是令人厌烦的，但如果一点也不说，就太率直了。

论殖民地

　　殖民地是古老的、原始的、英雄的工作之一。当世界还年轻的时候，它孕育出许多孩子。但是现在它老旧了，导致孩子就更少了：因为我正好可以把殖民地算作旧王朝的孩子。我喜欢殖民地在纯净的地方，就是说不用因为培植新的而拔掉旧的。因为这样就不是殖民，而是消灭了。培植国家就像植树造林，因为你几乎要损失前二十年的利润，到了后面才能得到回报。大多数的殖民地被毁灭都是因为过于卑劣急躁，想要在第一年就获益。是的，快速的利益是不可忽略的，只要能够与殖民地的好处相符，但是不要超过。把社会的人渣和邪恶的判罪之人转移到殖民地去作为居民，是一件可耻且会受到诅咒的事。不仅如此，这还会败坏殖民地。因为他们会活得像流氓，懒惰不务正事，伤害他人，浪费粮食，并且很快厌倦，然后就会传一些话来毁坏殖民地的名声。去殖民地的人应该是园丁、农夫、劳工、铁匠、木匠、木工、渔民、捕鸟人，少数药剂师、医生、厨师和面包师。要在一个国家开发殖民地，首先要了解这个国家有些什么可以吃的食物，比如板栗、核桃、菠萝、橄榄、李子、樱桃、野生蜂蜜等，并且利用它们。然后考察有什么粮食或食物是可以迅速成长，能在一年之内长成的，如防风草、胡萝卜、萝卜、洋葱、洋蓟、玉米等。至于小麦、大麦、燕麦，这些需要太多的劳动。但是你可以在开始的时候种一些豆类。因为它们很节省劳动力，却可以做成菜或面包。同样的，稻米的产量也是较高的，同时稻米也是一种菜。最重要的，在殖民地最开始到能做出面包的期间，应该带一些饼干、燕麦粉、面粉等到殖民地去。至于家禽牲畜，主要应该带不容易生病和繁殖最快的。比如猪、羊、鸡、火鸡、鹅、家鸽等。在种植园里的食物消耗，应该像在围城里一样。也就是说，应该是定量的。要把主要的土地用于种植果园和谷物，并且把一部分储存到公库中。此外还有少部分的土地，可以让一些特殊人群自己种植。同样地，考虑一些殖民地的土壤适合种哪种作物，让其可以在某些方面帮助负担殖民地的一些开销（只要不像我们上面说的那样不合时宜地损害主要事务就行了），就像维吉尼亚的烟草一样。树木通常是大量存在甚至过多的，因此木材就像上述的东西。如果有铁矿石和溪流，我们就可以在那里设立一个作坊，在树木多的地方铁就是一种极好的商品了。如果气候适宜的话，还可以制作湾盐。制作丝绸也是如此，如果那里有的话，也同样是一件极好的商品。沥青和柏油，在冷杉和松树多的地方是一定能找到的。药材和香木，只要有，同样也是能创造出很高的利润。做肥皂用的灰也是一样，是有利可图的。但是不要太寄希望于矿产，因为矿产是不可靠的，并且容易让种植者在其他方面懒惰。至于统治问题，最好是让权力掌握在某一些人手里，而其他人来协助，并让其设立委员会来有限制地运用主要的法律。最重要的是，让人们感受到居于荒野的益处，并且让他们心怀上帝，侍奉上帝。不要让殖民地的政府太依赖于过多的统治国的议事官员和司长，委员之流，而应该是适合的人数。并且这些人最好是贵族、绅士，而不是商人，因为商人总是看重眼前的利益。在殖民地有一定的坚实基础之前，要开放风俗。不仅如此，还要对于他们运送商品自由化。除了一些需要谨慎小心的。不要过快地把人一队队地送往殖民地，让其被人塞满。而是应该了解死了多少人，并按一定比例输送人口。但是人数一定要控制好，让人们可以在殖民地安居乐业，不要因此而变得贫困。有一件对于殖民地的健康有极大危害的事，就是沿海或河流而建的殖民地，这是不健康的地方。因此，如果在开始的时候，为了避免运输和其他方面的不便而仍然沿水建造殖民地，也要把建筑建在高处而不是沿着岸边建。同样还有一个关于殖民地健康的事，就是要储存用盐腌制的食物，他们可以以之为粮食，这也是非常必要的。如果你在有野蛮人的地方殖民，不只是要用小玩意儿来让他们开心，也要公正仁慈地对待他们，同时也要对他们有充足的警戒。不要为了赢得他们的支持，而帮助他们入侵他们的敌人；但是对于帮助他们防御，则是不会错的。送一些人到统治国去，让他们看看比他们自己过得更好的生活，并在他们回来的时候赞美统治国。当殖民地的力量增强的时候，女性就可以和男人一样被送往殖民地了。这样殖民地就可以自己传播，而不是从外面输入了。放弃一个正在进步的殖民地是一件罪孽的事，因为这样的事除了是一件耻辱的事，还是一笔残害了那么多无辜之人的血债。

论 财 富

除了"美德的包袱"，我不能有一个更好的名字来称呼财富了。罗马话里的字眼说得更好——累赘。因为就像包袱之于军队一样，财富对于美德也是如此。包袱是不能免除或者丢弃的，但是它会阻碍行军，有时候甚至会为了照顾它而失去或者干扰胜利。巨大的财富其实没有什么实际用途，除了施舍给他人，其余都是负担。所以所罗门说："有财富的地方，就有许多人来消耗。而其拥有者除了用眼睛看之外还能干什么呢？"一个人的财富如果过多就不能感受到财富了，他们可以储存这些财富，也可以救济或赠予他人；或者得到一个名声；但是对于财富的拥有者，它是没有任何实际用途的。你没看到人们给小石头和稀有物所定的虚价吗？没有看到有多少人担任摆阔的工作，只因为他们需要消耗他们的财富吗？但是你会说，财富可以用来使人走出危险或困难。所罗门说："在富人的想象之中，财富就像牢固的桅杆。"这话说得不错，但想象中是那样，在现实中则不然。当然，财富比起"买出"（上文所说的使人走出危险或困难）更"卖出"了一些人。不要寻求那些傲人的财富，只求得来公正，使用适度，乐意施舍，知足于留下的那些财富就可以了。然而也不要以偏概全地轻视财富，而要有区别地处理，就像西塞罗说拉伯里斯·珀斯特马斯的那样："在他寻求财富增长的时候，显然并不是为了满足自己的贪婪，而是在打造行善的一种工具。"还应听所罗门说的，谨慎不要急速敛财，"急速敛财之人必不会清白。"在诗人们的寓言中，当路托斯（财神）被久辟特派遣的时候，就走得无力缓慢，但是当被冥王派遣的时候，就跑得飞快。这就是说通过老好的手段和正当的劳动得来的财富是速度缓慢的，但是因为别人的死亡而得来的财富（比如通过欺诈、压迫和不公正的手段）是十分快速的。致富的方法有很多，但是大多数都是罪恶的。吝啬是最好的方式，但也不是无辜的。因为它钳制了人们的慷慨和仁慈。发展土地是最自然的致富的方法，因为它是我们大地母亲的赏赐。但是靠这种方法致富是非常缓慢的。然而如果有极为有钱之人屈身来土地业，那么他的财富一定是增长得非常厉害的。我知道一个英格兰的贵族，他在那个时代是有极大的财富的。他是一个极好的放牧人，一个大牧场的主人，一个农场的主人，一个大木材商，一个大煤矿商，一个大铁矿商，还有很多其他类似的产业。所以土地对他来说似乎就是一个海洋，可以源源不断地从那里获得财富。有的人注意到，发小财是很难的，但是要发大财就很容易，这是真的。因为当一个人富有到可以预测市场走向，用其拥有的大量的资金做别人无法做到的事，并且和一些年轻人合伙经营，他的财富肯定会增加。普通的交易和职业所得的收益是诚实的，这种诚实主要是由两件事情助长的：一个是勤奋，一个是通过公平交易所得的好名声。但是用手段所得的财富则是可疑的，比如等到别人需要的时候抬高价格，贿赂他人的仆人，用一些奸诈的手段使那些更好的商人远离。至于垄断货物，当一个人买货的时候不是为了持有这些货而是为了再次出售，就是在同时榨取卖家和消费者的双重利润。股份制如果选好了合作伙伴的话，也是很容易致富的。而放高利贷是一种定能获利的方式，虽然也是最糟糕的一种方式。因为这种方式是让别人满脸汗水，而自己吃饱餍足的。此外，这些人是在休息日还劳作的。虽然放高利贷是一种很好的致富方式，但它还是有一些缺陷，因为介绍人和中间人为了他们自己的利益而把那些情况不佳的人描绘得很好。有成为第一个发明之人的特权是一件能带来财富的幸运的事，就像加那利的第一个糖业商人。因此一个人如果是一个真正的逻辑学家，既有判断力，又能发明，那么他就能够做成大事，特别是在适合的时代。那些靠着固定收入的人是很难致富的，而把所有的财富都拿来冒险的人通常也是会破产变得贫穷的。因此最好是有一些固定的事业来作为冒险的防护，以便在有损失的时候有所支持。垄断和囤积货物来转售，在没有限制的情况下，是很好的致富手段，尤其是如果事先知道什么东西会特别急需，就可以先购得并储存起来。由服务得到的财富，尽管它是来得最高尚的，但是如果是因为奉承取悦他人，或靠一些奴隶行为得来的，这种方法就可以算得上是最糟的了。至于谋取遗嘱和遗嘱执行（如塔西佗说塞内卡的话："他把遗嘱和监护权都网走了"）比上面说得更糟。因为这种案例里，所侍奉的是卑劣之人。不要相信那些看起来似乎看不起财富之人。他们看不起财富是因为他们对财富绝望。当他们到了富裕的境地的时候，是没有人比他们更糟的。不要省小钱；财富是有翅膀的，有时候它们会自己飞走，有时候你必须让它们飞出去并带回更多的财富。人们在离开的时候通常把自己的财富留给亲族，或者公共群体。最好是两者都有适度的分配。如果你把一笔很大的财富留给你的继承人，而他不是一个在年纪、阅历和判断力上都牢固的人，那么就很容易吸引所有的鸟都盘旋在他周围与他抢食。同样，引人注目的礼物和基金就像无盐的祭品，会使人堕落腐败。因此不要以数量来测量你的捐赠，而要适量。并且不要把善事推迟到死后，因为，如果再公正地权衡一下，那样做的人其实就是在借他人的慷慨来做善事。

论 预 言

我不是说神的预言，也不是异教徒的神谕，更不是自然的预测，而是确有记载但不知道原因的预言。女巫对扫罗说："明天你和你的儿子要和我在一起。"荷马也有这些诗句：

但是伊尼阿斯一族将会统治所有的土地，并且他的孩子的孩子，还有他们的后代。

这像是一个关乎罗马帝国的预言。悲剧作家塞内卡也有一些诗：

总有一个时候，海洋的束缚会解开，无边的大地会打开；提费斯将发现新大陆，修利也不再是极北之地。

这好像是关于美洲发现的一个预言。波律克拉铁斯的女儿梦见丘比特为他的父亲沐浴，阿波罗给他涂软膏，然后波律克拉铁斯在公开场合被钉在十字架上，那里的太阳使他的身体流满汗水，被雨水冲洗。马其顿的菲利普梦见他封了他妻子的肚子。因此他自己解释说，可能他的妻子不能生育了。但是阿理斯旦大占卜后告诉他，他的妻子有身孕了，因为人们是不会密封空的容器的。在布鲁图斯的帐篷里出现过一个幻想，并对他说："你还会在腓力比见到我的。"提比略对戈尔巴说："你，戈尔巴，同样会体验到帝国的滋味的。"在维斯帕西安时代，东部有一个预言，从犹太来的人会统治整个世界。这个预言指的也许就是我们的救世主耶稣。然而塔西佗却以为那指的是维斯帕先。多米田在被杀的前一夜梦到他的颈后长出了一颗金的头颅。他的跟随者也确实取得了极大的成功，创造了持续多年的黄金时代。亨利六世在亨利七世还是一个小伙子的时候，就赐他水，说："这个小伙子就是要享受我们努力奋斗得来的王冠之人。"当我在法国的时候，我从佩纳医生那里听到一个事，就是皇后非常迷法术，于是就把国王的八字用一个假名拿去推算，结果算出他会在一次决斗中被杀死。皇后听到后就笑了，她以为她的丈夫是不会有人来挑战或与之决斗的。但是他后来在一次游戏中，蒙哥马利的木杆上的尖片刺入了他的头盔之中，于是他因此丧命了。当我还是个孩子的时候，我听说一个预言（那时候伊丽莎白女皇还正是如花之年）：

当麻拧成绳，
英国就完成了。

这可能是把英国君主的名字（Henry, Edward, Mary, Philip, and

Elizabeth）首字母排列起来，构成了Hempe，以此构想出来的。等到这几位君主的统治结束后，英国就该陷入混乱了。感谢上帝，这句话没有被证实，除了名字上的变更，因为现在国王的头衔已经不是英格兰王，而是不列颠王了。还有另一个预言，是在1588年前的，这个预言我不是很明白：

有一天会看见，
在矮人和山楂花之间，
有挪威的黑色舰队。
当这发生又离去后，
英国用石头和石灰筑房，
因为从此之后再也没有战争。

一般人都会认为这里指的是1588年来的西班牙的舰队，而西班牙国王的姓，正如他们所说的，是挪威。雷乔蒙塔努斯的预言：

88年，奇异的一年。

这个舰队虽然在数量上不是最大的，但是在力量上是最强的。至于克里昂的梦，我认为那是一个笑话。那梦就是他被一条长龙吞噬了，实际上就是一个制作腊肠的，曾经和他有一些纠纷。有越来越多的类似于这样的事情，尤其是你如果把梦和占卜也算在内的话。但是我所记录的都是一些有凭据的例子。我的判断是，所有这些事都是应该被藐视的。仅仅可以作为冬天坐在火堆旁闲聊的谈资。尽管我说了蔑视，但我的意思是信仰方面的，在别的方面传播是不能被轻视的，因为这样的事情曾制造出许多伤害。并且我们可以看到许多法律都是用来压制它的。这些预言能够流传并被人相信，是由三件事造成的：第一，人们总是注意那些实现的预言，没有实现的则被忽略掉了。他们对待他们的梦也是那样的。第二，很多时候人们把可能的推测或模糊的传统当作预言，而人们贪求预言的天性导致他们认为把他们所收集到的信息整合来预测不是一件有害的事。就像塞内加的诗句。因为那个时候已经证明在大西洋以西还有更大的地方，并且可能不全部是海洋。除此之外，再加上柏拉图的《提姆迈阿斯》和《亚特兰提可斯》，就可以鼓励人把这种说法变为一种预言了。第三点也是最后一点（最重要的一点），就是几乎所有的预言，都是欺诈，是事后被人用无根据的狡诈头脑编造出来的。

论 野 心

野心就像胆汁，如果不加以阻止的话，它就是一种使人积极、认真、活泼、兴奋的情绪。但是如果它被阻止，不能有它自己的方式的话，就会变焦，因此变得有害。所以如果有野心的人能找到晋升的门路，并且持续前进的话，比起危险，他们更是忙碌的。但是如果他们的欲望受到了阻碍，他们就会心怀不满，看人和看事的时候都用一副邪恶的眼睛，并且当事情变坏的时候尤为高兴。这对于一个国家的君王或仆从来说是最糟糕的。如果君王要使用有野心的人，必须要让他们保持前进而不要逆行，这才是有利的。任用这样的人是不可能没有麻烦的，所以最好不要用有这样天性的人。因为如果他们没有晋升到与他服务一致的职位，他就会拖着他的服务下降到与他的职位一致的高度。但因为我们说了最好不要用有野心天性的人，除非非常有必要，这样我们就要来说一下在什么情况下是必要的。在战争中必须采用好的指挥官，不管他有多么大的野心，都是可以用他的战功来消除其余东西的。而没有野心的士兵就像取走了马刺的马一样。有野心的人还有一个极大的用处，就是可以在君王危险和受到嫉妒的时候作为君王的屏障，因为很少有人愿意担任这样的工作，除非他像闭上眼的鸽子，因为看不到其他的部分，所以能越飞越高。有野心的人也可以用来将那些过于冒尖出头的鸟拉下马来，就像提比略用马可罗将苏简那斯拉下马一样。既然有野心的人在这样的情况下是不得不用的，那么我们就应该讲一下如何束缚他们，让他们没有那么危险。如果他们是出身卑微的，比起出身贵族来说，没有那么大的危险。如果他们性格严厉，那么就比亲切的人危险小。如果他们是新近提拔的，就比那些凭借奸诈狡猾成长起来的人危险小。君王有了宠臣就算得上一种弱点，但这可以说是一种对付有野心之人最好的补救方法。因为当愉快和不愉快的方法都是宠臣说出来的，其他人还想要壮大就是不可能的了。另一个控制他们的方法就是用一个同样非常骄傲的人来平衡他。但是这样就必须有一些中立的大臣，以保持稳定。因为如果没有压载的东西，船舶就会晃得厉害。至少，一个君王可以激励鼓舞一些卑贱的人来对有野心之人施压。至于使他们毁灭的方法，如果他们是惧怕胆怯之人，那么这个方法效果可能会很好；但如果他们坚定大胆，就有可能加速他们的计划，带来危险。至于要将这些人拉下马，如果还有国家事务需要这些人处理，就不可能一下就完成。唯一的方法就是赏赐和惩罚交换着，使那些人不知道会发生什么，就像在林中一样。关于野心，那种为了在大事中获胜的野心比那些体现在所有小事上的野心危害更小。因为后者会制造混乱，影响事务。一个忙于各种事务的有野心之人，比那些有许多追随者的有野心之人危害小。而想在能人之中被人尊敬，是自己给自己出难题，但这对公众有利；但对于想要成为众多零中唯一一个正数的人，则可能是一个时代的毁灭者。荣誉包含了三件事：有行善的优势；能接近国王和重要人员；能提升个人财富。在一个人追求一些东西的时候，他能说他所希望的就是这些东西，那么他就是一个诚实的人。而可以从别人的渴望中看到这些意图的君王，就是一位贤明的君主了。一般来说，君王和国家在挑选大臣的时候要选那些责任感高于晋升感的人。凭着良心做事，而不是为了彰显勇气做事。而且君主要能辨明他们是天性忙碌还是乐于做事。

论舞会和聚会

在如此严肃的论述中，舞会聚会这些东西就只是玩具而已。但是，君主们乐于此道，说明这些东西除了浪费也的确有其优雅可贵之处。随着歌声起舞是一件很愉快的事。我理解为歌要装订在一起，放在空中，并且要有弦乐伴奏。曲调也要与器具相符。在歌曲中的表演，尤其是在对话中，是极端优美的。我说的是表演，而不是跳舞（因为那是一件庸俗的事），并且对话的声音也应该强有力且具有男子气概（一个低音一个高音，不要全部高音）。调子也应该高亢悲哀，不能太过于美好或精致。一些歌咏队，把一个声音提出来区别于其他声音，唱起来就有起伏，这样是很令人愉悦的。把舞蹈变成各种形式是一件孩子气的好奇事。并且要注意，我这里所说的事是那些自然而来的好奇之事，而不是尊重那些卑鄙的奇事。场景的改变，只要做得安静没有声响，就可以变得很美且非常吸引人，这是真的。因为这些变换是可以缓解眼睛因为一直看同一样事物而出现的审美疲劳的。场景应该明亮，有特别且多样的颜色。让那些在舞会中的人或其他表演者在下场前做一些动作，因为这些动作可以吸引人们的目光，让人们更渴望看到没有看见的。让歌曲响亮且愉悦，而不是像鸟叫且悲伤。让音乐也同样响亮，并且在合适的位置。在烛光下显示得最好的颜色是白色、粉红色和一种海水一样的绿色。圆闪片或一些闪亮的东西，这些不会花费太多的钱，看起来也很华丽。至于丰富多彩的刺绣，它在烛光下是会丢失风采，不被人所见的。舞者的礼服应该是优雅的，在他们摘下面具后也依然是那个我们熟知的人。这些礼服也不应照着已经出现的款式所制，如土耳其服、士兵服、水手服和其他类似服装。不要让化装舞会的时间过长，因为它们通常都是傻瓜、好色之徒、狒狒、野人、怪物、野兽、精灵、巫婆、黑人、侏儒、土耳其矮人、女神、村民、丘比特、移动雕像等形象。至于天使，还不够滑稽到可以把他们放进角色扮演中来。并且任何可怕的东西，如魔鬼、巨人等，都是不合适的。但最主要的是让其中的音乐能够供人消遣且具有变化性。在有高温和热气的地方，如果突然飘来一股香气，而没有任何汗水掉下来，那是令人极度愉悦且神清气爽的。双人舞，男士和女士一起来跳，能添加庄重和多样化。但是除非表演的房间是保持得非常干净整洁的，否则一切都没有用。至于马上比赛和障碍比赛之类的游戏，他们的辉煌主要是在挑战者入场时所用的战车，特别是如果他们的战车是由一些野兽，像狮子、熊、骆驼等牵引的。或者体现在他们入场的装备上；或许体现在他们华丽的服装上；或许体现在他们的马和装甲的华丽装备上。但是对于这些玩具来说已经够了。

论人之天性

天性总是隐藏着的，有时候可以克制，但是很少能够完全熄灭。压力使人的天性在回应的时候变得暴力，学说和谈话也只能使天性不那么被压制。但是习惯却是能改变和克制天性的。对于那些想要成功征服自己天性之人，让他不要给自己设定一些太大或太小的任务。因为第一种会让他因为自己的失败而变得灰心；第二种虽然常常能够成功，但是会使他成为一个进步很慢的人。并且在最开始的时候，让他在有帮助的情况下练习，就好像游泳的人要用救生圈和浮板一样；但是过一段时间后，他就应该在有不利因素的情况下练习了，就好像舞者要穿着厚鞋练习一样。因为如果练习比实际更难的话，那么他在使用的时候就会做得更好了。天性有非常固执的地方，要成功克制也会很难，所以我们需要这样做：首先是要把天性阻止在某个时间段，就像人们在生气的时候需要数二十四个字母一样；其次数量要减少，就像一个人戒酒，从健康饮酒到每餐只喝一小口酒；最后完全终止。但是如果一个人有毅力和决心可以一次性地解放自己，那将是最好的：

你会自由吗？努力挣脱那擦伤你胸口的锁链，你就能获得了。

古老的戒条提到应该把人的天性弯到极端相反的一边去，就像一根杆子，这样才可以在它弹回来的时候居正。但是我们要理解，相反的极端不能是不道德的。一个人不能强迫自己长久保持一个习惯，而应该有一些间歇。因为这样的休息可以帮助人们去尝试新的东西。而且如果一个人因为不完美而一直练习，他可能会把错误也当成优点来练习，而使优点和缺点都形成了一种习惯。除了适时的间歇，是没有其他方法能够补救的。但是不要让一个人相信他能够战胜他的天性，因为天性是会潜伏很长时间的，在一定的时机或诱惑下就会复活。就像《伊索寓言》中一位从猫变成女子的女人一样，她可以很端庄地坐在桌子的一端，直到一只老鼠从她面前跑过。因此一个人要么避免这样的场合，要么就让自己常常接触这样的场合，这样他就不会为其所动了。一个人的天性在私人的生活中是最好感知的，因为在私生活里是没有矫揉造作的。在热情里也能感知，因为热情让人们忘了平时的训导。在一个新的情况或尝试的时候也是容易感知的，因为没有惯例留给他参考该如何做。那些天性与他们的职业相似的人是快乐的。否则他们会说："我的灵魂长期旅居在外。"当他们谈论这些事的时候是没有影响的。在学习上，如果学习自己不喜欢的东西，那么让他定一些时间。但是如果是学自己喜欢的，与自己天性相符的，就让他不要太在乎时间。因为他的思想会自己飞到它所想去的地方，只要保留一些时间来学习其他科目就好。一个人的天性不是长成药草就是杂草。因此让他浇灌那些能长成药草的，毁掉其他的杂草。

论习惯和教育

人们的思想大多是根据他们的倾向而定的，他们的谈话和演讲也是根据他们的学习和从别人那里借鉴而来的观点。但是他们的行为是由他们的习惯而来的。因此如同马基雅弗利说的（尽管是在一个邪恶的例子中），除非有习惯的加固，否则天性的力量和语言的华丽都是不为人所信的。他的例子是说，一个人要完成一个邪恶的阴谋，不应该依赖于有凶残天性的人，而要采用那些以前手浸在鲜血中的人。但是马基雅弗利不知道有个叫克莱门特的修士，不知道拉维拉克，也不知道久阿瑞垓和巴尔杰勒德。他的理论是站不住脚的，语言的约定不如习惯有说服力。那些因为迷信而双手第一次沾血之人如同屠夫一样坚定。宣誓的坚定作为一种习惯也同样强大，甚至在一些流血事件中亦是如此。在其他事件中，习惯的优势是随处可见的。其程度到了可以使人们声明、抗议、保证、说一些大话，然后还是按照以前那样做，好像他们是无生命的玩偶，和通过轮子来转动的机械似的。我们可以看到习惯的统治和专横是什么样的。印度人（我指的是智者之流）静静地躺在柴堆上面，然后点燃柴堆来自焚。不但如此，那些妻子们还要力求与他们的丈夫一起焚烧。古代的斯巴达小伙，习惯于在戴安娜的祭坛上被鞭打，并且没有太多的畏惧和退缩。我记得在伊丽莎白女皇统治初期，一个爱尔兰的谋反者判刑的时候，请愿说他想要用藤条来执行绞刑，而不是绳子，过去的谋反者都是被那样对待的。还有一些俄罗斯修道士，为了忏悔而一整夜坐在水里，直到他们冻成冰。有许多关于习惯的力量的例子，无论是在精神上还是肉体上。因此，如果习惯是生命的主法官，那么人们就应该采取一切手段努力获得良好的习惯。当然，最完美的习惯是在年轻的时候获得的：这个我们称之为教育。这从效果上来说是一种早期习惯。所以我们可以看到，语言上，幼年时比幼年以后舌头更灵活，可以学所有的语言和声音；肢体上更柔韧，能够做所有的动作和运动。一般而言，幼年以后的学习都不如幼年学习的好，除非有些人没有固定自己的心志，开放着自己的思想准备接收不断的改动，但这种情形很少。但是如果说个人单独的习惯力量是巨大的，那么配合起来的习惯力量就更大了。因为在这种情况下，有他人的例子来教育，有伙伴来安慰，有竞争来加速，有荣誉来抬升。所以在这种地方，习惯的力量是处于巅峰的。当然，天性中美德的增加是需要遵守纪律的。因为共和国和好政府滋养美德的成长，但是不会做太多的事来改善种子。但不幸的是，最有效的方式现在却被用来达成最不好的目的。

论 幸 运

不可否认，外界的机遇更多地造就了幸运。例如好感、机会、他人的死亡、适合发挥特长的环境。但最重要的是，人的命运是掌握在自己手里的。所以诗人说"每个人都是他命运的建筑师"。最常见的外部原因是，一个人的愚笨就是另一个人的运气。因为没有比通过别人的错误而成功更快速的方法了。"蛇必吃蛇，才能为龙。"公开和明显的美德带来赞美，但秘密且隐藏的美德才能招来幸运。这是一个人自身的某种本领，无以名之。西班牙语中有个词——"desemboltura"略能表达种本领：当人的天性中既不死板，也不倔强时，就能与时俱进，幸运也就能光顾他了。同样，李维在提到加图的幸运时，说"有那样强健的身心，无论他在哪里出身都会很幸运"。因此如果一个人敏锐且留神地观察，他必定能看见"幸运"的。因为尽管它是盲目的，但不是不可见的。幸运的方式就像天空中天的河，由许多小的恒星集结起来的，把它们分开来看的时候，我们是看不到光的。但它们集合在一起，就能看见光芒。所有许多小的罕见的美德，或者说是能力或习惯，都是能使人幸运的。意大利人注意到了其中一些，比如不怎么思考的人，他们在谈论一些不出差错的人时，总会说一些关于他的其他的事，比如"有一些不太灵光"。当然，再也没有比"有一些愚笨"和"不过分诚实"这两种更幸运的特性了。因此，对他们的国家或主人有极端的爱好者从来都不是幸运的，而且是不能够幸运的。因为当一个人的思想中是不考虑自己的时候，他所走的路就不是自己的路了。仓促而来的幸运造就了企业家和躁动者（法国人更喜欢称其为"好事者"），但历练过的幸运造就有才干的人。财富是应该被尊敬和尊重的，因为她的两个女儿，"信心"和"信誉"都是幸运产生的：第一个是在自己心中，第二个是在他人心中。所有的智者，为了避免他人嫉妒自己的美德，通常都把才能归功于普罗维登斯和幸运，因为这样他们就可以更好地展示自己的才能了。此外，得到更高权力之人必定是一个伟大的人。所以恺撒在暴风雨中对船夫说："你载的是恺撒和他的幸运。"苏拉在挑选名号的时候选的是"幸运"而不是"伟大"。而且很多人注意到，那些将自己的幸运归功于自己智慧和谋略的人，都是以不幸收尾的。书上曾写，雅典的提摩太在向他的国家报告政绩的时候，经常打断讲话，说这里是没有任何幸运的成分的，从此之后他再也没有成功。当然，的确有一些人，他们的幸运就像荷马的诗句一样，比其他诗人的诗句更为流畅和简洁。就像普拉塔克说提摩龙的幸运一样，将之与阿格西拉于斯或哀普米昂达斯相比。毫无疑问，这确实与一个人的自身有很大关系。

论 借 贷

许多人使用诙谐的话漫骂借贷这种行为。他们说，魔鬼占有了我们应该交于上帝的那十分之一的财产，这是一件多么可鄙的事啊！借贷者是安息日的最大破坏者，因为他们的犁在每个星期日也是在耕耘的。丘吉尔说借贷者简直是雄蜂（不务正业而依赖他人为生）。"他们把懒惰的雄蜂赶出了蜂巢。"借贷者破坏了失乐园后人们所定的第一法律，即"你必须汗流满面才能得到面包，而不是别人汗流满面"。借贷者应该戴姜黄色的帽子，因为他们已经犹太化了。而用钱来生产钱也是违背自然规律的。我只想说的是，借贷被允许的原因是人们的心肠太硬。因为借款和贷款是必需的，而人的心又是如此坚硬，借贷就必须被允许了。有其他一些人对于银行和财产报告有一些疑心且狡猾的主张，但这很少对借贷有效。我们要把借贷的好处与坏处放在面前,这样就可以衡量并挑选出好的方面,并且谨慎地供应,当我们没有遇见更坏的时候,就是我们更好的时候。

借贷的危害是:第一,它使得商人更少了。因为如果没有这种懒惰的交易,金钱就不会静止,在很大程度上商品化。那是国家经济的命脉。第二,它使商人贫穷。因为农民如果在一个租金极贵的地方租种,那么他就不能很好地耕种。所以如果商人用借贷做生意的话,他也就不能将他的贸易经营好了。第三件事是前两个的延续,就是国家腐败或税收的减少。第四,它使得一个国家的财富都聚集在少数人手里。因为借贷者的收益是有确定性的,而其他的商人则具有不确定性,所以游戏结束的时候,大部分的钱财都纳入了借贷者的荷包。而国家最繁荣的时候是财富分配最公平的时候。第五,它使得土地的价格贬值,因为钱主要是用于土地或采购的,而借贷截断了这两条路。第六个害处是它使所有的行业,改进和新发明都枯竭了。因为如果不是有这个源头,钱是非常能激励人们去交易的。第七,它破坏和毁灭了许多人的财产,在这个过程之后,是会造成公共贫困的。

另一方面,我要说一说借贷的益处。第一,借贷在某些方面是损害商业的,但是在一些地方又促进了商业,因为绝大部分的贸易是由年轻的商人靠借贷有利息的债来经营的,这是一定的。所以如果借贷者调用或保留他的钱,就会立马出现商业问题。第二个益处是,要是没有这样宽松的借贷方法,人们在需要的情况下就不得不走向毁灭,因为他们将被迫出售他们的财产(无论土地或货物)。所以,借贷显然在他们身上榨取了价值,但是如果没有借贷,他们就会被糟糕的市场吞并。至于抵押或典当,是没有任何补救作用的:因为人们不是在有利息的情况下收取典当物,就是抱着没收物品的心态。我记得这个国家有一个残酷的富人说:"让魔鬼把借贷拿去,它使我们不能没收抵押品和债券。"第三个也是最后一个益处是,抱有贷款没有利息这一想法是没有意义的,因为这样会有许多不可想象的麻烦接踵而至。因此,要废除借贷这种行为是不可能的。所有的国家都有这样的行业，只是有不同的种类和利率而已。所以，那些想法只能送到乌托邦去了。

现在来说一下借贷的改革和管理，如何最好地避免害处和保留它的益处。从借贷的益处与害处所表现的来看，有两件事是一致的。一是，借贷的牙齿应该被磨一下，让它不至于咬得太多。另一件是，应该打开一扇门邀请那些有钱人借钱给商人，保持商业的流通。这件事除非你引进两个不同的借贷，一个高一个低，否则是不可能的。因为如果你减少到一个低利率去放贷，它将缓解借款人的情况，但是商人就赚不到多少钱了。并且应该注意到的是，商品的贸易，是最有利可图的，所以它们能赶得上利息增长的速度。而其他行业就不行了。

要达到以上的目的，应该照着下面的方法。需要有两种借贷利率：一个是自由且大众的；另一个是需要许可的，只有某些人在某些场合才可以被允许。因此，首先应该让借贷的利率减少到5%；这种利率应该被宣布为自由借贷的利率，国家不能对这种行为采取惩罚。这将保护借贷停止或枯竭，也将减轻国家借贷人的不便。并且，这个方法有相当一部分提高了土地的价格。因为购买16年的土地使用权一年可以产生6%或更高的利率，而借贷利率的收益只有5%。类似这样的原因可以鼓励人们改进，因为很多人宁愿承担一定的风险去投资也不愿去收这5%的利息，尤其是惯于得到更大利润之人。其次，应该授权给某些商人可以以高利率借贷给那些有名之人，但是必须有一些警告。而这个利率，即使对商人自己来说，也应该比以前所借贷的利率低，因为这意味着所有的借款人都可以通过这一政策得益，无论他是商人或其他什么人。不要让银行或公司去做借贷者，但每个人都掌握着自己的钱。我不是完全厌恶银行，但是它们因为某些值得怀疑的地方让人很难相信。得到国家许可的借贷经营者要向国家交一定的税，剩下的才留给自己，如果所交的税太少，就不能很好地对这些商人起阻挠作用了。例如，那些得到10%或9%利息的人，比起去从事一些有风险的经营，他们更愿意让利息降到8%。这些拥有授权的贷款人在数量上可以不限定，但是必须在某些主要的城市和城镇。然后他们就不能在这个国家用别人的钱去借贷了。而持有许可证的人在吸走了那9%的利息后，就不会吸收那通用的5%的利息了，因为没有人会把钱借得远远的，或放到不认识之人手里。

如果有人反对说，以前借贷不过在某些地方被容忍，而我的办法却使其成为合法经营了；我的回答是，通过声明的方式减少借贷的害处，比默许其存在而使其横行要好些。

论青年与老年

一个人如果没有浪费时间的话，那么他在年龄上很年轻，在时间上则很老成。但是那是鲜少发生的。一般来说，年轻人就像产生于头脑中的第一个念头，不如再次思索后更为明智。因为一个人的思想和他的年龄一样，是有青年与老年之分的。然而年轻人的发明力比老年人的更活泼；想象力也能更好地进入他们的脑中，如有神助。天性中有过热、过大和暴力欲望及冲动的人，在不成熟时是不适合做有些事的，需要等过了一定的年岁，就像尤利乌斯·恺撒和塞维鲁斯。有人这么说后者，"他曾度过了一个充满错误或疯狂的青春。"但他也确实是罗马所有皇帝中最能干的一位。青年时期性格温和往往可以做得很好，就像奥古斯都·恺撒、佛罗伦萨的卡斯马斯公爵、加斯顿·德·佛克斯等人。另一方面，在老年的时候保有热情和活泼的性格对事业也很有帮助。青年人善于发明创造而不是判断，更适合于实干而不是给人以劝告，更宜开创新事业而不是保守旧业。老年人的经验，在旧事物上是指南针，是用来指导他们的；但在新事物上，则会耽误他们。年轻人的错误是事业毁灭的原因，但老年人的错误仅仅是应该做得好一点，或更早一点。年轻人在做事和管理的时候，经常包揽超过他们可以承受的事务,所引起的麻烦比他们可以摆平的多。他们会想要一步登天,而不考虑手段和程度;追求一个他们偶然发现却很荒谬的原则;要当心革新,因为那样会引来未知的不便;一开始就使用极端措施;当使错误加倍后,不肯承认也不回头,就像一匹没有受过训练的马,既不会停止也不会转头。年龄大的人通常反对太多,商量太长,冒险太少,后悔太早,很少把事务驱动到全盛,而是一旦有一个平庸的成功就觉得满足。当然,如果能把这两种人合用于工作之中最好不过。这对目前来说,他们可以互相取长补短;对于将来来说,年轻人是学习者,跟在年长的人身边学习有利于继承;最后,于外部事件也很有益,因为掌权者尊重年长者,而心里更喜欢年轻者。对于道德方面,年轻人也许更卓越一些,就像年长者在世事上更卓越一样。一位犹太教士曾从"你们青年人是要见异象的,而老年人是要做异梦的"一文中推断出年轻人比老年人更接近上帝,因为视觉是一个比梦更清晰的启示。而且可以肯定,世界之酒喝得越多越醉。年龄所带来的好处是对于事物的理解,而不是意志和感情。有一些人在年龄上是有一些早熟的,但是会随着时间逐渐消失。这些人中的第一类有一些脆性的智慧,即这种优势很快就会转变。例如修辞学者黑摩其尼,他的书十分微妙,但后来变得愚笨。第二类是那些具有某种特殊性情的人,这些性情较之老年人来说更适合青年人。比如流利华丽的演讲,就更适合青年人,而不是老年人。所以塔利说霍腾休斯:"当原有的性情不再属于他时,他却依然是原来的他。"第三类是在开始的时候起点太高,而后来无法再维持。例如李维曾这样说西皮奥·阿弗里卡纳斯:"他后期所为不如他前期所为。"

论　美　丽

美德就像宝石,不用装饰是最好的,当然在一个尽管面容不是非常精美，却姿态高雅的身体内更好。并且，非常美丽的人通常都没有什么大的美德，就好像大自然宁愿忙碌不犯错误，也不愿致力创造一个完美之人。因此即使他们看似完美，但却没有伟大的精神。他们所探索的不过是美丽而不是美德。但这也不尽然，奥古斯都大帝、提多·卫斯巴襄，法国的佩利普·勒·贝尔，英格兰的爱德华四世，希腊的亚西比得，波斯的统治者伊斯马尔，他们都是崇高且具有伟大精神之人，并且他们也是他们所处时代的美男子。在美的方面，人们喜欢形态美胜于色彩美，而适合和亲切的运动美比形态美更受青睐。美中最美的部分是图画不能表达，只看第一眼无法表述的。完美的美丽都是一些奇异的部分。人们不能分辨出阿佩利斯和阿贝尔乌尔哪一个更无价。如果把他们其中一个按几何学比例来作画，另一个则从他的脸上把最好的部分挑选出来，将他们组成一个完美的样子，这样的人物，我认为除了能使画这画的画家满意之外，不会让任何人满意。我不是不认为一个画家可以画出一个比以往都美丽的脸来，那必须在一个恰当的度里（就像一个音乐家制作美丽的音乐一样），而不是通过规则。我们看别人脸时，如果把各个部分分开来看，就会发现并不优美，但是如果合在一起看，则会非常好。美丽最主要的部分是体现在得体的动作中的，这话是真的。那么自然，那些上了年纪的人似乎就变得更加可爱了。"美丽之人的秋天也是美丽的。"因为如果我们不原谅年轻人，他们就没有一个是可以保持美好的。美犹如盛夏的水果，是容易腐烂，难以保持的。并且在大多数情况下，它能使一个年轻人放荡，使老年人局促不安。但是如果出现在适当的人的身上，就会使美德发光，并将美与德相结合。

论 残 疾

残疾之人通常都是不被造物主公平对待的，造物主对他们有伤害，但他们的天性中也有对造物主的报复。大部分残疾之人（如《圣经》所说）

是情感淡薄的，所以他们对自然是有报复性质的。当然，身体与思想之间也是相连的，造物主在一个地方犯了错，在其他地方就会冒险，但因为人在触摸心灵的时候有所选择，对于身体的框架也有必要的要求，而星星的自然轨迹有时候也是被富有美德的太阳遮住了的。因此最好不要把残疾当作一种符号，这是具有欺骗性的；而应该作为一种原因，这种原因在通常情况下都是合理的。凡是那些身体上有缺陷并会被人轻视的人，他们永远在激励自己从轻蔑中走出来，因此所有残疾人都是极端大胆的。在开始的时候，他们设立自己的防线是为了不被轻蔑，但在这个过程中，随着时间的推移，逐渐形成了一种习惯。同时他能在他们的圈子里引起一些人的纷乱，尤其是这类：去窥探观察别人的弱点，这样他们就可以报复了。同时，对于他们的上司，可以让上司消除对他们的嫉妒，因为那些上司认为他们是可以被欣然鄙夷的；对于他们的竞争对手，则可以让他们放松警惕，因为他们从不相信残疾人是有晋升的可能性的。直到他们看到残疾人晋升了，才幡然醒悟。所以如果把所有的事情都算在内，在伟大的才智下，残疾也是一种使人不断上升的优势。

古代的君主（现在的一些国家中一样存在）都习惯于相信那些宦官，因为那些嫉妒所有人的人会更乐于对一个人尽职尽责。但君王对他们的信任通常都是作为间谍而不是以一个优秀的臣子来信任。对于残疾人，其原因也是与之很像的。总的来说，如果他们有意志力，就能将自己从蔑视中解脱出来，而途径不是通过美德就是通过恶意。因此不用诧异，残疾之人也是十分优秀的，就像阿葛斯劳斯的儿子索利曼、秘鲁总统葛斯卡，还有苏格拉底和其他一些人。

论 建 筑

房子是用来住的，而不是用来看的。所以应该首先考虑使用性而后考虑协调美观，除非二者是可以同时兼顾的。把那些只为漂亮而用华美材料修建的房屋留给诗人好了，他们诗中的那些被施了魔法的宫殿构建成本是非常低的。在一个病气的位置建一个精美的房屋，无疑是为自己建一座监狱。我所认为的病气，并不只是说那里的空气不健康，同样也是指空气是不均衡的。正如你会看到许多精美的房屋坐落于山顶，而周围是一些比之更高的山，这样太阳的热量就会关闭在内，而风也会聚敛在山谷之内。所以这里应当会，或者突然地，有极冷或极热的现象出现，就好像你住在好几个不同的地方一样。也不只是污浊的空气使这个地方成为一个病气的地方，病气的道路和病气的市场都是重要的因素。还有更多的是我不想说的，比如缺水，缺木材和林荫，缺果实，缺混合的泥土；缺风景和平地，缺用于狩猎、放牧的地方；距离海太远或太近；缺少可以运输的同行河流，或有河流泛滥的忧虑；距离大城市太远，可能会阻碍事务，而离大城市太近又物价太高。一个地方如果能聚集大笔资产，那么那里是不能发展的。当然要使所有这些都聚集在一个地方，那也是不可能的。因此我们应该知道这些事情，这样才能在这个地方得到最大的利益。并且，如果一个人有几个住处的话，他就应该好好安排，让他在一个地方缺乏的东西在另一个地方可以得到。卢库卢斯回答庞培回答得好。庞培看到卢库卢斯家的一所庄重的阁楼，有一个房间那么大，说："这显然是一个非常适合夏天的地方，但是你在冬天要怎么办呢？"卢库卢斯回答："为什么你不认为我同那些鸟儿一样聪明，会在冬天的时候改变住处呢？"

　　谈过房屋的位置后，我们来谈一谈房屋本身。我们以西塞罗演说艺术的方式来谈。他写过几本演说家的书和一本题名为《演说家》的书。在前者中他交代了一些演说艺术的训词，在后者中讲述了演说的完美状态。因此我们可以描绘一个君王的宫殿，把它作为一个简易的模型。因为现在的欧洲，有一些像梵蒂冈和伊斯科瑞亚的大建筑，但缺乏一个精美的房子，这是非常奇怪的。

因此，首先如果我们想要有一个完美的宫殿，就必须有几个特别的方面。一面是关于宴会，就像《圣经》中关于海斯特所说的那样；还有一面是关于家庭。用于宴会的那一面是用来举办舞会戏剧表演的，用于家庭的一面则是用于居住的。我所理解的这两方面不仅仅是后庭的部分，也可以是前庭的部分。在外应该是一致的，而在内则有各自的分区。并且应该在最大最庄严的中间大厦的两边，就好像是通过两边连接在一起的。我认为宴会厅的那边，只在楼上有一个漂亮的房间，有四十英尺①高就好了。这样一个房间的下面，要有一个用来放宫剧舞会的衣服和做准备的地方。另外是家庭方面，我希望把它划分为第一大厅和一个教堂（用分区分开），并且都应是美丽宽大的。但是这两个房间不能占据所有空间，而应该有一个冬天和夏天分别使用的客厅，还要一样美观才行。并且在这些房间的下面，要有一个宽大的地窖。同样还要有一些私人的厨房、食品室和伙食房等。至于高楼，我认为有两层最好，并且每层高十八英尺，上面有两翼，并且在顶部用铅来做房顶，用雕像来做间隔。同样地，这楼应该分立为几个不同的房间。通向楼上房间的楼梯应该是以一根柱子为中心旋转的楼梯。用精良的木材制成的雕像间隔而成，粉刷成黄铜的颜色，并且在顶部也有一个非常美丽的吊顶。但是这样的话，你就不能把楼下设成仆人的餐厅。否则你就得在仆人用餐后再自己用餐。因为楼梯就像一个隧道，会让饭菜的气味向上蒸发。关于前庭就说这么多。不过我认为一层楼梯的高度应该是十六英尺，也就是下层房间的高度。

越过这片区域应该是一个规模尚可的庭院，只在三面有屋子，并且要比前面的建筑都低。在庭院的四个角落里，都要有楼梯，并且安置在角楼里，这些楼梯要排除在这些建筑之外，不能与之连成一片。然而这些楼梯不能太高，而要与那些较低的建筑相称。庭院的地面不能用砖石砌，因

---

① 1英尺=0.3048米。

为这种方法会让庭院在夏天过热，冬天过冷。而周围人走的小路和园中的十字路口可以用砖石，其余部分则应该种草，并且在草长成后修剪，但不要剪得太短。我们再返回到宴会厅来说，宴会厅的房屋应该都是精美庄严的，并且在这些屋子上有三个或五个圆形阁楼。坐落在相同的距离，还要有一些精美的彩绘玻璃窗。在用于居住的那一面，应该有一些宴客和娱乐的地方，还要有一些床室。都应该是双重的房子，不会让阳光彻底侵入房间。这样的话，无论上午或者下午都可以免受阳光了。并且，你最好让你的房子无论在夏季还是冬季都适用，要有阴凉的夏天和温暖的冬天。有时候你可以看到一些有很多玻璃窗的漂亮房屋，但是没有人知道那里怎样才可以阻止阳光或寒冷。至于弓形窗，我认为是非常好的（事实上，在城市里，用于面向街道一边的窗户用直的最好）。因为它们用在会议室是非常漂亮且安静的。此外，它们把风和阳光都阻止在外，因为它们几乎是不能通过窗户进入到屋子里的。但是这样的窗户在家里用得很少，只在庭院装四个就好了，一边两个。

除了这个庭院，还要有一个在内的庭院，与庭院的面积和高度一样。只是这个在内的庭院四周都是花园，并且各个地方都要有得体且精美的拱门，高度要有第一层楼那么高。更下面的一层楼要面向花园，让其变为洞穴或林荫，或者夏眠的地方。并且门和窗都要面向花园，建于地面之上，不可在地面之下，避免所有潮湿的东西。并且在其中要有一个喷泉或一个精美的雕像安置其中；院子的地面也与庭院相似。而两侧所有的楼房都用作私人的寄宿房间，而最末的则用作私人楼座。在这些房屋中必须辟出一座用来养病，配有会议厅、卧室、客厅、休息室。如果君王或一些重要的人生病了，就可以到这里来住。并且这些屋子都应该在第二层楼上。至于地面上的一层，则应该用柱子做一个开放的阳台。第三层也是一样，用柱子修建一个阳台，用来观赏美景和体验花园的新鲜之气。在更远的两个角落，在回转的路上应该有两个精美且贵气的阁楼，铺地非常精致，挂饰同样贵气，窗户是精美的水晶玻璃，还要有一个富丽的圆顶置于中间。还有其他你认为精美的东西。更上面的阳台，我希望如果有可能的话，可以让喷泉从墙上某些地方流出，并且有一些排水的秘密渠道。关于宫殿的模型就说到这儿了，但是在你到达前部以前，必须有三个庭院。一个绿色的平坦庭院，周围有墙围着；第二个庭院和第一个相同，但要有更多的点缀，或者说装饰品，在墙上有一些小炮塔；第三个庭院，合着前部构成一个方形，但是不要建造房屋或围墙，而要用台阶围起来，并且顶上用铅皮加以装饰，走廊要用柱子而不用拱门。至于办公之地，则应让其离远一些，带有一些较低的走廊，让人们可以通过，走到宫殿去。

论 花 园

第一个种植花园的是全能的上帝。事实上，园艺的确是人类快乐中最纯粹的。它是人类灵魂的最大精神食粮，如果没有它，这些建筑物和宫殿都只是粗俗的手工制品。我们会看到，随着人们年龄增长到进入礼貌和雅致的时候，人们最先想到的是建造华丽的建筑，而不是精细的园艺，好像园艺是更完美的一样。我认为在皇家整理的花园中，一年的每个月都有一定的花有其花期。至于十二月、一月和十一月的下半月，你就必须种一些冬季常青的植物，比如霍莉、艾薇、松木、紫杉、松苹果树、冷杉、迷迭香、薰衣草、长春花（白色、紫色、蓝色的）、石蚕属植物、菖蒲、橘子树、柠檬树等。如果能保温的话，还有甜的媒墨角兰，但都要种在温暖的地方。接下来是一月的下半月和二月，应该种一些花期恰好在那时的丁香花、番红花（灰色的、黄色的）、报春花、海葵、早期的郁金香、风信子、鸢尾花等。三月则应种一些紫罗兰，特别是淡蓝色的，它的花期是最早的。还可以种黄色的水仙花、小雏菊、杏花、桃花、红玉髓花、野蔷薇。在四月的时候可以种双瓣的白色紫罗兰、黄色紫罗兰、香紫罗兰、黄花九轮草、蝴蝶花、百合、迷迭香、郁金香、双牡丹、白色水仙花、法国忍冬、樱花、西洋李子和梅花、白色的刺叶、丁香花。在五月和六月的时候则可以种一些各种各样的石竹，尤其是粉红色的。还可以种各种玫瑰，除了那开得晚的麝香。忍冬、草莓、牛舌草、耧斗菜、法国万寿菊、非洲红花、结果的樱桃树、醋栗、结果的无花果、葡萄花、薰衣草、白色香兰、百合草、铃兰、苹果花也都有。七月接踵而来的是更多的品种，如麝香玫瑰、盛开的菩提树、早期的梨和结果的李子。八月则有各种各样的水果，李子、梨、杏、榛子、麝香瓜还有各种颜色的附子。在九月则有葡萄、苹果、各种颜色的罂粟花、桃子、油桃、茱萸等。在十月和十一月初就有枸杞、欧楂、布拉斯李和削枝或晚开的蔷薇、霍莉之类的植物。这些细节都是根据伦敦的气候来说的。但我的意思是显而易见的，那就是你可以通过我在此提供的方法创造"永久的春天"。

而因为花朵的气息在空气中比在手里甜蜜得多（正如柔和的音乐一样），因此没有什么比知道哪些花草在空气中最香更值得高兴的事了。淡红和大红色的玫瑰都是不会有很大香味的花，因此，你可能走过整丛盛开的玫瑰，但闻不到一点玫瑰的香气，甚至在清晨充满露水的时候也闻不到。月桂生长的时候也没有香味，迷迭香的香味十分小，甜媒墨角兰的香气也很少。而在上面所有的植物中，能释放最多香气的是紫罗兰，特别是白双紫罗兰。它一年开两次花，一次在四月中旬，一次在巴塞洛缪节的时候。接下来的就是麝香玫瑰，然后就是即将死去的草莓叶，它所发出的香味是最让人觉得亲切的。然后就是葡萄花，它就像一个小的灰尘一样，在葡萄第一次生长的时候长出来。再然后是野蔷薇，跟着是黄色紫罗兰花。这种花如果放在歌厅或低的室内的窗台上是非常令人愉快的。然后就是石竹和紫罗兰，尤其是粉红色和丁香类的石竹。然后是菩提树的花，然后是忍冬花，但是必须离它们远一些才行。我不想说一些豆类的花，因为它们是田地里的花。有些花能在空气中散发宜人的香气，但你不必停下来观赏而可以随意践踏。这样的花有三种，地榆、野生百里香和水薄荷。所以你应该在整条路上都栽种这样的花，这样就可以愉悦地踏于其上了。

至于花园（我们所说的如同上面提到的建筑一样，是君王的花园），内部的面积不应少于三十亩，而且要分为三个部分：一个绿色的入口；一个荒芜的出口；而花园的主要部分就在中间，两侧还有小巷。我喜欢把四亩地分配为草地；六亩分配来做荒地；两边有四亩，十二亩来做主要的花园。绿色的草地有两个乐趣：第一，再也没有比看着精心修剪的草地更令人愉快的事了；第二，因为它能带你走进一条舒适的小道中，在你的前面可能是一片庄严的围栏，那是用来封闭花园用的。但是因为小道是漫长的，所以在一年或一天中最热的时候，你不应该为了花园里的林荫而盯着太阳通过草地，因此你可以在花园的两边种植两条林荫小路，约十二英尺高，这样你就可以在阴影下进入花园了。至于制作各种颜色的花坛，做成好看的团，然后把它们摆在靠近花园一侧的房间的窗户边，它们也只是一些玩具而已。你可能会在糖果馅饼上多次看到这样的好景致。花园最好是方形的，四周都环绕着富丽堂皇的拱门。这个拱门应该在木制的柱子上，并且有十英尺高，六英尺宽。它们之间的空隙也应该与拱门的宽有相同的长度。在拱门上还应该有一整个的围栏，大约有四英尺高，框架也是木制的。上面一层的围栏，每一个拱门都有一个小炮塔，中间的地方有足够的空间容纳一个鸟笼，而每一个拱门的间隔中应该有一些小雕像或壁画，广泛地用彩色玻璃的圆盘盖上，这样阳光就会流连其上了。但是我打算把这种围栏建在一个很高的坡上，不会很陡峭，只是有轻微的坡度，大约有六英尺高，种满鲜花。我也明白，这个方形花园的宽度不应该是整个土地的宽度，而应该留出一些空隙，在两侧设计一些小道，对于这两条隐蔽的小道，上面所提到的草地是可以通往的。但是这块地面两边的小道是绝不能有围栏的，后面的地方也不能有，因为这样就会阻碍你的视线，不能让草地有延展性。而你在通过拱门往外看的时候也看不清更远的地方了。

至于围栏内土地的安排，我觉得应该有各种各样的设计。然而我的建议是，不管你要把它设计成什么形式，首先不能用太多的功夫或人工。就像我，对我来说，我是不喜欢在杜松或者其他花园里的东西上雕刻的。这些东西都是孩子气的。我喜欢小而低的树篱，圆得像滚筒一样，上面有一些漂亮的塔。并且在一些地方，用木头雕刻出的精美的柱子也是我所喜爱的。我认为那些宽敞整洁的小道也应该是很美丽的。你可以在园子的两侧设计一些小道，但是花园的正中间是不能有的。我也希望在正中间能有一个小山丘，上面有三级平地和一些小道，能够容纳四人并排而行。我认为这个圆必须完美，没有任何障碍物在上面。整个山丘应该有三十英尺高，并且上面有一座宴会厅，附有整洁干净的烟囱，没有太多的玻璃。

至于喷泉，它们是非常美丽且让人神清气爽的。但是池塘这一类东西就使得花园变得不健康了，它会让其充满苍蝇和青蛙。我认为泉有两种：一种是喷水或者冒水的，而另一种只是存水的一个好看的容器，大概有三十或四十平方英尺，里面没有鱼、黏土或浆液。第一种喷泉可以用镀金的雕像或大理石来装饰，这些在平时使用中都是非常好的。但是最主要的问题是如何让水保持流通，不要让它停滞在池子里，这样水就不会因为停滞而变成绿色或者红色，也不会腐化变臭了。除此之外，它每天都需用手清理。也可以修一些阶梯，并且铺一些路面，如此是甚好的。至于其他类型的喷泉，我们也可以叫浴池，它能引发许多的好奇与美丽。这些不用再麻烦地细说了。可以在底部铺得很精细，形成一些图像；两边也同样这样铺砌；用彩色玻璃或类似的有光泽的饰物来修饰；还可以用雕像环绕四周。但最主要的一点是，与我们前面提到的那种喷泉是相同的，就是水要一直流动。喷泉水池的水是通过一个水高于池，经过精美装饰的水柱，然后被一些平行的孔从地下排出，让其保持流通。那些精巧的设计让水喷涌而不漏出，并让它以几种不同的形式（如羽毛、水杯、树冠等）上升，都是些看起来很漂亮的东西，但对健康和亲切没有任何作用。

我们说的第三部分，是铺满石子的荒地，我希望它被尽可能多地装饰成一个自然的荒野地区。其中不应该有茂密的树木，除了一些灌木丛、荆棘、忍冬和一些野生葡萄树；地面有紫罗兰、草莓和报春花。这些是甜的，并且在阴凉处长得十分繁盛。而这些植物应该随处栽种，这里和那里，而不是按照某种顺序而定。我还喜欢小土堆，就像鼹鼠丘那样的性质（如在野生荒野中一样），在这些小土堆上面可以栽种一些野生百里香、一些石竹、一些石蚕属植物，它们是非常漂亮的；还可以种一些长春花、紫罗兰、草莓、驴蹄草、雏菊、红玫瑰、铃兰、红色的甜威廉姆斯、熊掌花，还有一些价格低，但香味甜蜜又好看的花。一部分土堆上应该有标杆一样的小灌木丛，其他部分则没有。这些标杆应该是玫瑰、杜松、冬青（但这些花只能这里或那里零星种一些，因为它们的花香太闷）、红醋栗、醋栗、迷迭香、月桂、野蔷薇之类。但对于这些标杆都必须保持定期修剪，不然就会长得太野性。

至于庭院的两侧，你可以在其中修建各种各样的小巷，但是要隐秘，无论太阳从何处来，都要能够遮挡一部分的太阳。同样也要一部分能够挡风的，当风猛烈地吹来时，走在林荫下有如走在一个庇护所里。第一种小巷必须在两端修建围栏，这样就可以抵御风。而第二种小巷必须精心地用碎石铺路，不能长草，因为这样就不会湿脚了。同样，在许多这样的小巷中，你可以栽种各种类型的树，让它们沿着城墙或在这个范围内生长。但是必须要注意，在里面种植的树木必须要很好，低而不陡峭。还可以种一些鲜花，但应该种得少且谨慎，以免它们妨碍树木的生长。最后我认为，在两侧的尽头应该有一个高度合适的小山丘，让人站在上面的时候院墙不及人的胸高，这样就可以看到四周的田野了。

至于最主要的花园，我不否认两边应该有一些市集小巷，还有一些栽着漂亮果树的小山，有着座椅的亭子，这些都需要按一定的秩序来设立，并且绝不能设置得太密集。主花园中不能太过拥挤，而要开放且空气自由。至于遮阴，可以依赖于两侧的小巷，如果你愿意的话，可以在一年或一天中最炎热的时候在下面走；但你必须记住，主花园是为了更温和的时节所设；而对炎热的夏天，这一部分则是为了早晚或阴天而设的。

对于鸟舍，我是不喜欢的，除非它的面积大得可以赛马，并且可以在内种许多植物和灌木丛。这样鸟儿们就可以有更多的活动范围，拥有自然的鸟巢了，也不会出现鸟舍下地板脏乱的情况了。所以我已经制作了一个精美贵气的花园模型了，一部分是规划出来的，一部分是绘画出来的，而所完成的不是一个模型，而是一个轮廓。在此我是没有考虑成本的，但它对于君王和贵族来说是不成问题的。他们大部分采用工人的建议，并没有比我所设定的成本更少。有时还会添加雕像和类似的东西，让其看起来更富丽堂皇，但对于花园的乐趣是没有任何帮助的。

论 谈 判

通常来说，谈判最好是通过谈话而不是书信，由中介的第三个人去谈比当事人自己去谈好。然而当一个人想要得到书面的答案；或者当它可能成为一个人后来为自己辩护的理由；或者在谈论可能危险的时候被打断，没有听完全时，书信就是好的了。当一个人的颜面能对对方造成影响时，是能够处理好事务的。这通常出现在长辈对晚辈的情况中；或在微妙的局面中，一个人的眼睛盯着说话人就可以知道他还可能会说多久时；或通常一个人要维护自己的自由，否认或阐述的时候，都是可以面谈的。在选择帮忙谈判之人的时候，最好选择一个老实的人，那样他就会按你说的做，尽力与他们谈判，并忠实地回来向你报告。这比那些用狡猾诡计为自己谋利，并且为了使自己的报告满意而说假话的人好多了。也应该聘用那些对工作有热情的人，因为这样的人是机灵勤劳的；还有选择适合此事的人，大胆之人可被派去劝告，恳切之人可被派去说服，狡猾之人可用于观察和调查，顽固荒谬之人则可以去办理那些不正的业务。应任用那些一直幸运之人，和那些以前做事十分成功的人。因为，这样的人会很有信心，他们也会努力维持他们的优势。在交易时，最好是从较远的一方探视，而不是落在第一要务上；除非你想用一些突然的问题让他们大吃一惊。对付那些正常食量已经满足了的人，不如对付那些正有欲望的人，后者显然是更好的。和他人交涉时，一个人是没有理由要求别人先尽义务的，除非事情本身的性质需要如此，或者你可以说服对方，将来在其他事情上也有需要你帮忙的地方，又或者你要使其相信自己的诚意和可靠。所有的交涉工作都是观察或利用他人，想要看到他人的想法，就要在他们被信任，激情萌生，没有防备和有必要的时候，就是要当他们想有所为而找不到一个合适借口的时候。如果想要你所做的工作在任何人身上都生效，你就必须知道他的本性和习惯，因此便可以引导他；或者明白他的目的，因此就可以说服他；或者掌握他的弱点和缺点，因此就可以吓唬他；或者了解他的兴趣所在，因此可以掌控他。在和狡猾的人谈判时，我们必须要考虑他们的目的，以此来解释他们所说的话，最好少说一些话，但要说一些他们没想到的话。在所有困难的谈判中，一个人不可能播种一次就收获一次；但必须准备好所有的事，这样才可以让事情发展成熟。

论追随者与朋友

人们不喜欢代价过高的追随者，恐怕自己训练太久，但其羽翼过短。我认为的代价高不只是说他们用了过多的钱财，还包括那些不厌其烦提各种要求的人。普通的追随者对主人提的要求不能超过道义范围，应提出建议，保护主人免受伤害。最讨厌的是那些爱搞党派之分的追随者，他与你接近并不是遵循他的感情，而是不满于别人；所以我们通常看到的大人物之间的矛盾，也是这样的原因。同样地，那些夸张的追随者，用喇叭表彰他们的主人，也是非常不便的。因为他们泄露了那些想保密的要务，毁坏了主人的荣誉，并让他回归到了嫉妒这一条路上来。有一种追随者是非常危险的，他们常常查询主人的事情并且把这些事情报告给其他人。然而，这样的人通常是非常受喜爱的，因为他们是非常殷勤的，并且经常交换信息。一个大人物的随从如果同他的身份相匹配（就像参与过战争之人有士兵的追随一样），就是一件非常适合的事，甚至在君主国中也是如此，只要不太过隆重或有声望就行了。但是最光荣的一种追随者，就是追随那些有着知人善用美名之人。然而，在没有倍受尊崇的条件下，最好是任用那些过得去的人，而不是有才干的人。此外，说实话，在卑劣的时期有才干的人是比有德行的人更有用的。的确，政府最好任用那些级别与一般人一样的人。如果对其表现出特殊的支持，会让其内心傲慢，而其他人也会对此产生不满，因为他们也可以要求同等的待遇。但相反地，在宠幸方面，则可以在地位差别很大的区域中选人，因为这样会使当事人更加感激，其他人也会更加勤勉，因为他们也希望能够晋升。有一个好的方法就是不要在最开始的时候对一个人付出太多，因为这样到后面就无法坚持这一待遇了。只被一个人管理（我们所称的）是不安全的，因为它显示出了你的软弱，并使得丑闻更自由地传播。那些不会谴责或说主人坏话之人通常会在背后大胆讨论批评追随者，而这样也就伤害了他们的名誉。然而被许多人搞得心烦意乱更是糟糕，因为它使人根据最后的印象来选择，并且充满了变化性。采取一些朋友的建议永远是光荣的，因为周围的人通常比局中人看到得多，山谷凸显了山岗。世界上的友谊是很少的，至少在平等的人中很少。而上级和下级间的友谊要多一些，因为他们和利益连在一起。

论请求者

许多不良的问题和项目进行都需要有人担任，私人的请愿确实会使公众的利益腐化。许多好的职务都是由心思坏的人担任的。我指的不仅仅是腐败的思想，还有狡猾的思想，意思就是那种并不执行所意欲之事的人。一个受到别人托付去做某些事之人，并不像他所答应别人的那样去帮忙做事。但是如果他们看到别的人通过别的一些方式可能成功的时候，他们就想赢得请求者的感谢，或者得到一些奖励，或者至少也要利用一下请求者的愿望。一些人接受别人的请求只不过是为了找到一个阻挠他人的理由。或者以此为借口得到一个信息，而他们的目的达到后，也就不在乎请求者所求之事了。或者，一般来说，这些人只是通过别人的事务来完成自己的事而已。不仅如此，还有一些人担下了这个担子，但是目的是在于让这件事做不成。这样他就可以使请求者的敌人和竞争对手满意了。可以肯定，在每个请求中都有一些正义。如果是在法律诉讼中，就有公平的正义。如果是关于受宠和升职的，就有才华的正义。如果一个人在法律诉讼中因为感情而偏向有错的一方，那么他最好用自己的关系将这件事做成和局。如果一个人因为感情在升迁方面倾向于较没有才干之人，让他不要因此而打压或削弱那更好的才干之人。一个人遇到不好理解的请求时，最好去询问一下那些信得过并且很有判断力的朋友，这可以帮助他知道做这事是否光荣。但让他在选择询问之人时要小心谨慎，否则他就可能被牵着鼻子走。请求者非常厌恶延迟和欺骗，所以在请求者第一次与你商量的时候就应拒绝，或直白地告诉他事情的结果，在事情结束后除了自己应得的感谢外不能再要求其他，这样的行为已经变得不仅是光荣，并且还非常有礼貌。在讨喜这类的请求上，谁第一个来已经没有那么重要了。目前我们所考虑是得到他的信任，并且如果这个事的情报我们除了从他那里知道外，没有其他途径，就不能只给书面上的利益，而要在其他方面给予他报酬。不知道别人所请求之事的价值是愚蠢的，就像不知道这件事是否正义时会缺乏良心一样。保密是让所托之事成功的一个重要方法。因为过早地谈论这件事会使一些请求者沮丧，但是也会很快地让其他人醒悟。并且时机是完成请求的最重要的一点。我所说的时机，不仅是指合适行事的时机，还应是你不会牵扯其中的时机。在选择帮你做事之人的时候，要选择适当的人而不是那些最好的中层人士，选择专门处理这类事的而不是处理所有事的。如果一个人在第一次没有表现出沮丧或者不满，那么他所得的补偿就会和他所得的拒绝一样。"要求不超过合理的量，你得到的就不会少"，在得宠的人的身上，这是一条很好的规则。那些冒险请求之人都是会失败的，这样我们就会同时失去请求者和他以前的喜爱。没有什么比向大人物求一封信更简单的事了。然而，如果这封信没有一个好的理由，那么就会毁坏写信人的声誉。没有什么比为这些请求奔走更糟糕的事了，因为它们只是一种对于公务的毒药和传染病罢了。

论　学　问

读书可以当作娱乐、装饰或增长才干的工具。其娱乐的作用见于独处幽居；装饰的作用见于高谈阔论；而才干的作用则表现在处理事务和判断上。有些专家或内行人士，他们可以一件一件地执行，或者评判参与。但总的建议是，具体的事务和布置，只有那些有学问的人才能做好。花太多时间在学习上就是懒惰；把它们过多地用于装饰，则难免哗众取宠；完全由它们的规则分析判断，则是一个迎合的学者。学问使得天性完美，又因其经验变得完美。因为人天性中的才智就像植物一样，是需要学问来修剪的；而学问自身会因没有方向变得过大，除非有经验来限制它。狡诈者鄙夷学问，无知者羡慕学问，唯明智之士运用学问。因为学问本身并没有教人如何运用它们，运用的智慧不在书中，而在书外，全凭观察得之。读书不是为了驳倒对方，也不要相信或者认为那是理所当然的。读书也不是为了聊天和谈话，而是为了权衡和考虑的需要。一些书可供品尝，一些书可吞咽，较少的一些书则需咀嚼消化。就是说，有的书只需读其中一部分；

有的书不用读得太认真；唯有少数的书需要读得全神贯注、孜孜不倦。有的书还可以请他人去读，取其摘要就行了。但这只限于不甚重要的论述和次等书籍，否则压缩的书就像蒸馏水一样，是华而不实的东西了。阅读使人充实，讨论使人机智，写作使人精确。因此，一个人如果写得很少，他就需要一个超强的记忆力；如果他与人会谈很少，则需要有一个睿智的头脑；如果他书读得很少，则需要狡黠的才智，才会让人觉得他似乎并非孤陋寡闻。历史使人明智，诗歌使人灵秀，数学使人精细，自然哲学使人深刻，伦理使人庄重，逻辑修辞使人善辩。"学问影响态度。"不仅如此，没有任何一种才智上的缺陷是不可以用学问就能填补的。犹如肌体上的染疾都是由适当的运动来治愈的。保龄球有益于结石和肾脏；射击有益于胸肺；散步有益于胃；骑马有益于头脑等。所以，如果一个人的心智散漫，就让他学习数学，因为在演算过程中只要他一走神，就必须重新开始。如果他的心志不善于辨异同，就让他研究经院学派的著作，因为这门学问最讲究分门别类。如果他不善于推导他人的说法，通过一件事证明和阐述另一件事，就让他学习法律。如此，精神中的所有缺陷都可以补救了。

论 派 系

许多人都有一种不明智的意见，就是仁君治国，要人治事，而重要的政策，要照顾各个党派的利益与愿望。然而与此相反，最重要的智慧在于如何规划与大众有关的事情，并使人们虽有党派之分但又不能不赞同，或者如何用适当的方法与重要的人进行交涉。但我并不是说党派之分是可以忽视的。出身卑贱的人，在他们努力奋斗的过程中，必须有所依附；而出身显贵并且本身有力量的人，最好保持中立。然而对于初入仕途的人，虽不免有所依附，但最好是依附得体，要使自己成为本党派之中最善于与其他党派进行交流的人，如此他的前途将会一片光明。孱弱的党派更加团结，常见少数固执己见的人说服大多数性格温和的人。当党派之中某一党派解散的时候，剩下的党派就会自行分裂。例如卢库拉斯和罗马参议会中其他贵族的那一党（就是他们所称的贵族党）曾与庞拜和恺撒相持，但当参议会的权威被推翻之后，恺撒和庞拜就分裂了。和布鲁塔斯与凯西亚斯反对的安东尼和奥克塔威亚斯的那一党派也曾团结起来，与敌人相持，但在布鲁塔斯和凯西亚斯颠覆后不久，安东尼和奥克塔威亚斯也分裂了。这些例子是属于战争方面的，但在私人的党派之争中也一样。因此有名党派中的次要人物往往会在本党分裂时成为主要人物，但他们挂的往往是虚职，并最终被遗弃。因为许多人把力量都集中到了斗争上，一旦消灭了对手，这些人也就没有用处了。常见许多人与自己所在党的反对党联络一气，这些人也许以为在一个党派已经站稳了脚跟，于是准备收买另一个新党。叛党的人常易于成功，因为当事件相持，久而不决的时候，其中一方只要得到对方一个人的力量就可以决出胜负，而这个人将会得到所有的感激报酬。在两党中保持中立不一定是由于态度温和，有时也会是出于自利，为的是利用双方，以达到自己的目的。在意大利，当教皇们嘴里常说"众人之父"这几个字的时候，人们对这些教皇是有点怀疑的。认为由此可以看出他们有意在一切事物上都以自己的家族尊荣为前提。君王需要谨慎而不能偏袒任何一方，不能成为任何党派的一员。国内的党派对王权是不利的，因为这些党派常向党员要求一种义务，这种义务和君王要求人民的义务差不多，并使君王成为"我们当中的一员"，如法国的"神圣同盟"。当党派之争过于激烈的时候，就是王权软弱的一种体现，并且对他们的权威和事业是非常不利的。在君王之下的党派的运转就应当如天文学家所说的下级行星的运转一样，这样行星虽然有自己的"运转"，但仍然应该安静地受更高运转规律的支配。

论礼节和仪容

　　完全依靠自己本身而有价值的人是需要极大美德的，就像不需衬托而单独镶嵌起来的宝石需要极其宝贵才行。但如果仔细观察的话，会发现人获得表扬和嘉奖的情形和获取收益是一样的。有句谚语说得好，小利益的增长可以让钱包沉重，因为小利来得多，而大利来的少。并且小利更易赢得伟大的赞扬，因为它们常常出现而容易被人注意。而伟大才德的出现，就像节日一般，是很少的。因此如果一个人有好的仪容，就会有好的声誉，就像伊莎贝拉女王所说的——"永恒的推荐书"。有良好的仪容，达到不被轻视的程度就行了。这样一个人就会观察别人身上的这些东西，剩下的就是让他相信自己。因为如果他花太多的功夫表达它们，就会失去仪容的优点，即自然不做作。有些人的行为就像诗，其中每一个音节都是经过测量的。一个把心思太多花在小事上的人怎么能理解大事呢？完全不讲礼仪就像是教导别人也不要使用它，会减少对方对自己的尊重，特别是和陌生人打交道或在正式的场合办事，万不能忽略礼节。但把礼节抬到月亮一样的高度，就会不但冗长，而且削弱了他人对自己的信任。当然，语言中有一种有效传达行动的方法，即如果一个人可以偶然地得到这种方法，将会是非常有用的。一个人在同辈中应该得到亲密，因此最好保持一个良好的状态。一个人在他的下级中应当得到崇敬，因此最好与之保持一点亲密的关系。任何事情都掺与进去的人，会使人们对他厌烦，并且让其身价下降。运用自己的力量来对别人好，但在做的时候要有一个良好的动机，而不是投其所好。还有一个很好的教训，就是你在赞同别人的话时，要添加一点自己的意见，让它与别人所说的有所区别；如果你要追随他的行为，就要带一些条件；如果你赞成他的主张，还要加一些其他的原因。应该注意的是，不要太擅长于赞美，因为这样的话无论他们有多么优秀，他们的嫉妒者也一定会给他们安一个不利于他们美德的名称。在事务中太过于注意礼仪这方面的东西，或者总是观察时机，都是有坏处的。所罗门说："观察风的人必不撒种，就像观察云的人必不收割。"智者创造的机会比他发现得更多。人的行为应该像他们的衣服一样，不要太紧或太考究，才能锻炼和运动。

论 赞 美

赞美是美德的反映。这同玻璃或其他反射体所反映的东西是一样的。如果它从普通人嘴里说出来，通常是虚假的和徒劳的。赞美常跟随无用之人而不是良性之人，因为大众是不理解许多优秀美德的。最低的美德能得到他们的赞扬；中等美德能引起他们的钦佩和惊讶；但对于最高的美德，他们没有能力去感知。那种显示在表面的美德是他们最易接受的。当然名声就像一条河，能够让膨胀且轻的东西漂浮，实心固体的东西淹没。但如果有品质和判断力的人一致称赞某人，那么（就如《圣经》上所说）这名字如同一块香膏。它的香气充满四周，并且不会轻易消散。对于气味，香膏比鲜花更持久。因为有这么多虚假赞美的原因，所以一个人可以理直气壮地怀疑别人的赞美。有一些赞美仅仅是恭维，如果他是一个普通的马屁精，就会说一些客套话，这可能会让每一个人都开心；如果他是一个狡猾的马屁精，他就会做一个高级的奉承者，这是一个人的自我。一个人如果认为自己最善于做某事，奉承者就会站出来力挺他；但如果他是一个粗鲁的马屁精，就会找出一个人的缺陷，其本人也不甚喜欢的一点来将其说成那人的长处。这是藐视良心的。有一些赞美来自良好的祝愿和尊敬，这是一种对于君王和大人物们的礼貌，就是赞扬的教训。通过告诉人们他们是怎么样的，来暗示人们应该成为怎么样的。而一些人称赞某人其实是为了害他，激起别人对他们的羡慕和嫉妒。最坏的敌人就是赞美你的敌人。所以有一句谚语说："称赞是为了伤害他人，使人鼻子上长疮。"而我们说："一个说谎之人的舌头上会长水疱。"当然，温和的赞美用在合适的场合，不低俗就极好。所罗门说："那早上起来就大声赞扬朋友的人，其实是在诅咒他的朋友。"过度夸大一些事会激起反对，引来嫉妒和鄙视。一个人赞美自己是不算数的，除非在极少数情况下。但如果赞美一个人自己的办公室或职业，则是可以欣然并大度地说的。罗马的主教都是神学家、修道士、教师，他们用一个短语来表示他们对公务的蔑视和鄙视：他们把所有的事务、战争、使命、死法和其他工作都叫作"斯比如瑞"，意思就是这是"副手所管之事"。好像所有的事都不过是警长和管家之类应做的事一样。尽管副手们做的事比他们做的要多许多。圣保罗在夸耀自己的时候，经常加一句"我说话像个傻瓜。"但说到他的职务，他就会说："我要赞美我的使命。"

论 虚 荣

有一个设计得非常巧妙的寓言：苍蝇坐在马车轮的横木上说，我扬起了多高的尘土啊！所以有一些虚荣的人，无论是他们单独或更多的人合作完成的，只要与他们有一点点小的关系，他们就认为这是因为他们才能完成的。爱荣耀的人必定是好捣乱的。因为所有的赞美都是依附在比较上的。他们必定也是崇尚力量的，这可以使他们自己自豪地谈起。他们不能守住秘密，因此也是没有什么用的。法国有一句谚语"传播很多，但是结果很小"，这与之很像。然而在民政事务中这种人当然是非常有用的。当一个人想要建立很高的名望或美德时，这些人就是很好的幕后推手。再者，如提多利维亚斯说的关于安条客和哀托里安的话："有时候交互的谎言是最有影响的。"比如两个君王之间的协商，为了吸引对方加入来对抗第三方，就会不切实际地赞扬对方的力量。有时两个人之间的交易，夸大对方的能力，却把自己的实力也夸大了。在这些类似的事件中，经常会产生一些东西。因为谎言能够繁衍出意见，而意见能带来物质的东西。在指挥官和士兵方面，虚荣是一个重要的点。因为正如铁磨铁一样，由此可以通过一个人的勇气磨炼另一个人的勇气。在那些有财产和身体危险的事务中，加上好夸之人，可以让事务更有活力。那些稳重和冷静的人则更像压载物而不是帆。在学习的名声上，如果没有一些羽毛的修饰，那么名声就会飞升得很慢。"写《无价值之荣誉》一书的人非常在意地把名字印在了扉页。"苏格拉底、亚里士多德、盖伦，都是爱炫耀的人。当然虚荣的确让人的名声得到延续，而美德是不被人看重的，因为它得到的报酬是二手的。西塞罗、塞内加、普利尼的名声如果不是与他们的虚荣联系在一起的话，也就不会经历那么长的岁月依然存在了。就像天花板上的油漆，使天花板不仅光泽而且得以保存。但在说这一切的时候，我谈到虚荣，其意思不是说塔西佗说缪斯阿努斯那样的性质，"一个人有一种可以展示他所有言行的本事"。这并不是来自虚荣，而是来自天生的大度和谋略，而这样的人不仅是清秀的，还是非常亲切的。因为宽恕、割让、谦虚都只是一种炫耀的行为罢了。而在这些炫耀的艺术中没有比普利尼说得更好的了，即在你擅长的某方面，别人也有一点长处，就不要吝惜赞美和推荐他人的长处。这一点普利尼说得非常俏皮，"你在赞扬别人的时候其实也在为自己。无论你所赞扬的是你的上级或者下级都是好的。如果他是你的下级，那么在他值得表扬的时候，你值得更多的表扬；如果他是你的上级，在他不值得表扬的时候，你也就不值得表扬了。"好炫耀的人被智者轻视，被愚人钦佩，被寄生者崇拜，被奴役之人夸耀。

论荣誉和名誉

赢得荣誉不过是完完整整地揭示他人的美德和价值。对于那些在行动中只为求得荣誉和名誉的人，常常被人谈论，但很少让人们从内心对其钦佩。还有一些人与之相反，他们深藏他们的美德不让其显示，所以他们通常被人低估。如果一个人去做那些未曾有人尝试过的事；或者有人尝试但未被实现的事；或被实现但实现得没这么好的事，那么，比起那些追随他人而做成更大、更好事情之人，他将获得更大的荣誉。如果一个人可以调和他的行动，让其在每个阵营中都能够被接受，那么赞美声就会更大。如果一个人在完成了一个任务后，所获得的荣誉不如失败时获得的耻辱大，则可以他说不珍惜自己的荣誉。通过与别人的比较而获得的荣誉是最亮丽的，就像切割成多面的钻石一样。因此一个人应该与他的竞争者争夺荣誉，在对阵的时候，无论他们有多出类拔萃，都要用对方的弓射得比对方远。谨慎的追随者和仆人对声誉是有很大帮助的。"所有名望都是从仆人那里得来的。"而嫉妒是荣誉的弊害。消灭嫉妒最好的方法是声明自己追求的是个人价值而不是声誉，并将一个人的成功说成是上帝的保佑或幸运，而不是靠他们自己的美德和谋略。君王真正的主权荣誉是这样的：第一种是那些国家的创始人，比如罗穆卢斯、赛勒斯、恺撒、奥斯曼等。第二种是建立法制的君主，这样的人也叫作"永久统治者"，因为尽管他们逝去，他们所创立的法律也会继续管理这个国家。这类的君王包括莱克格斯、梭伦、东罗马帝国国王、埃德加，还有创立了"七部"的智王。第三种是解难之人或者说是救世主，比如那些结束长期内战的痛苦，或者把他们被奴役的地区从其他君王手中夺回来的君王。这样的人有奥古斯都大帝、维斯帕先努斯、奥瑞里安努斯、西奥多里卡斯、英王亨利七世、法王亨利四世等。第四种是扩展疆土或者把帝国建为第一强国之人，比如在光荣战争中扩大他们的领土，或光荣抵御入侵者的君王。第五种就是属于"国家之父"的人了，说的就是那些把国家治理得非常好，让他们所在的时代世道太平，人民安居乐业。以上两种就不需要再举例子了，因为这样的君王是有很多的。而臣民的荣誉应该这样分：第一种是参与烦忧之人，就是那些被君主倚仗帮忙做一些重大有分量之事的人，即我们所称的"君王的右手"。第二种就是战争中的领导者,比如君王的副手,在战争上有着引人注目的过人功绩。第三种是宠臣,能够得到君王的喜爱又不伤害人民。第四种就是处理事务之人了,只在君王之下,但是能利用职能办事。还有一种荣誉,也可以说是最伟大的荣誉,就是那些为了他们的国家牺牲自己的人,但这是很少见的,比如雷古拉斯和戴西亚父子。

论 司 法

法官应该记住他们的职务是jus dicere而不是jus dare,即解释法律,而不是制造法律,或建造法律。不然就会像罗马教会的权威那样,他们以《圣经》为借口,添加和改变,然后制定法律公告天下,仿造古物,创立新法。法官应该是博学多于机智,可敬多于善辩,谨慎多于自信的。最重要的是,正直是他们美德中最大的一部分。(这里是说法律)那些移动界标的人是要受诅咒的,忘记把界标放在哪里的人是应受惩罚的。但是当他规定的土地和财产出了差错的时候,那不公正的法官才是移动了界标的罪魁祸首。一个出错的审判比许多卑劣的事伤害更大。因为这些卑劣的事不过是弄脏了小溪,而误判则是败坏了水的源头。所以所罗门说:"义人在恶人面前跌倒就像是一个陷入恶臭的水泉或腐败的井。"法官的职权可能会涉及起诉方、辩护人、司法的职员、大臣、君王及国家。

首先,要谈谈诉讼的原因和双方。有人把审判当做苦艾;有人把它当成醋。因为不公使它变苦,而延迟使它变酸。一位法官的主要职责是抑制暴力和欺诈,法官应该准备着让自己可以公平判断,就像上帝通过提高山谷和削低山脉为他的路做准备。诉讼的两边中有一边是暴力、狡猾、善辩的话,法官用他的方法使不平等变得平等就是一种大的美德了。"用蛮力扭鼻子会出血",榨葡萄汁的时候用力过猛,做出来的酒也是苦涩的,而且味道中有葡萄籽的味道。法官必须谨防深入案件,因为没有什么比法律的酷刑折磨更糟的了。特别是在关于刑罚的法律中，他们应该注意，不要将管制的法律当成恐吓百姓的东西。也不要带来《圣经》中所说的雨（他将给他们降下密布网罗般的雨）；因为刑事法律压制性太强，就像冲淋人民身上的网罗雨一样。因此刑事法律中，如果有很久不用或者不适合当下者，明智的法官就应该将它限制执行了。"法官必须考虑时间和事件"，在有死亡的案件中，法官应该将其置身在正义之上，忘记怜悯；用严厉的眼光去看事，而不是以仁慈的眼光看人。

其次，关于辩护人和顾问。耐心且慎重地听审是正义的重要组成部分；一个说话过多的法官就像一个没有经过良好调音的乐器。法官在适当的时候从酒吧中听到一些事情并且是第一个发现的；或者为了显示自己的聪敏在证词还未结束的时候就打断；或者通过问题来阻碍消息，等等这些对于一个法官来说都是不明智的。法官在听审时的四个职务是：听取证据；控制证词的长度、限制重复或鲁莽的言论；概括、选择和核对言论；给语句做出规范。超过以上这些就是太过了；而这样的行为要么是炫耀想多发言，或不耐烦听，或记忆力不好，或缺乏沉着和公平的关注能力。这是一个奇怪的事情，就是来看到辩护者的夸夸其谈，法官通常对此很满意。他们本该模仿上帝，坐在他们的座位上的。他是专门惩治专横之人，帮助谦虚温和之人的。但是法官有其喜爱的律师，那是非常奇怪的，这不能不引起人们的更多的猜测。当案件被掌控得非常好并且能公正辩护的时候，法官应该给予辩护律师一些赞扬的话，特别是偏向不利的一方，因为这样可以让委托者相信他的辩护律师的声誉，并打击他那些自以为是的意见。同样，如果辩护律师在辩护时有意非难，并且出现狡猾的言辞，显而易见的疏忽，忽略信息，轻率地逼迫他人，或为一个过于冒失的辩护，那么辩护律师不能与法官有任何言语冲突，或在法官宣布结果之后重新提起诉讼。但是，另一方面，法官不能半路听取他人的意见，或者给其机会辩护和说一些没听到的证据。

再次，是有关于职员和部长的。律法所在的地方是一个神圣的地方，因此不管是板凳，对面的高台还是围栏，都应该是没有丑闻和腐败的。当然了，葡萄（就如经上说）是不会在荆棘或蒺藜聚集的地方采到的。而在荆棘或蒺藜的职员和部长中，也是采不到正义的水果的。出席法庭的人最易受到四种人的影响：第一种是包揽诉讼，挑拨是非，让法院案件过多，国家贫困的人。第二种是那些把法院管辖权卷入争吵之人，他们并不是法院真正的朋友，而是法院的寄生虫。他们让法庭过度膨胀超过其界限，为的是自己的那一点蝇头小利。第三种是那些被称作"法庭左手"的人，就是那些灵活，充满邪恶手段之人，他们能阻碍法律进程，并把正义引入迷宫之中。第四种是赚取费用之人。法庭就像一个灌木丛，羊为了免受天气的灾害躲入其中的时候，一定会失去一部分的羊毛。另一方面，如果一个老职员，熟悉先例，谨慎办事，理解法院的事务，那么这样的人就是法院的优秀帮手，并且常常能提点法官。

最后，这可能涉及君王和国家。法官应当首先记住罗马十二表的话："最至高无上的法律就是人民的幸福。"并且要知道法律如果不是为了这个目的话，就只是一件过分讲究的东西，是没有受到启发的神谕。因此如果一个国家的君王和州长经常与法官商议，而且法官经常与君王和州长商议，那么这将是一件很愉快的事。前一个是当有法律问题介于国家事务中的时候，后一个是国家介于法律问题中的时候。因为引起诉讼的通常都是我和你两者之间的问题，但是会因此引出许多东西，有可能涉及影响到国家。我所说的国家的问题，不只是说主权问题，还有引起重大变更或危险的问题，或者关乎大部分人利益的问题。

没有人会相信公平的法律和真正的政策是有任何对立的。因为它们就像灵魂和精神，是共同行动的。法官还要记得，所罗门的宝座两边是由狮子支持着的：让它们做狮子，也只做王座下的狮子；还要谨慎，不要触犯或阻挠任何一点的王权。法官还要了解自己的权力，将其作为自己职务的一部分，即要明智地使用和应用法律。因为他们可能还记得使徒说过一句比他们的法律更大的律法："我们知道律法原是好的，但需要人用得合宜。"

论 愤 怒

想要寻求完全扑灭愤怒的方法，只是斯多葛学派自夸的话。但我们也有很好的神谕：生气，但不犯罪。不要让太阳下山后，愤怒还在。愤怒必须有时间和程度的限制。我们首先讲的是，如何使愤怒的天性和习惯平静下来。其次，如何压抑愤怒的特定动作，至少要避免受其伤害。最后，如何激起或平息别人的愤怒。

关于第一点，没有别的法子，只有好好沉思细想怒气的后果，想想它是如何危害人生的。最好是怒气平息之后回顾当时的情形。塞内卡说得很好，"愤怒就像毁灭，将自身毁灭于降落之物上。"《圣经》劝我们要耐心对待我们的灵魂。凡是失去耐心之人，就等于失去了他的灵魂。人不要变成蜂，"把它们的生命留在刺上"。

愤怒的确是一种低劣的情绪。它出现在它所管制支配的那些人的弱点之中：儿童、妇女、老人、生病的人。所以人们必须当心，在无法控制愤怒的时候，要把它与蔑视而不是害怕连在一起。这样，他们看起来就在所受的损伤之上而不是之下了。这是一件极容易办到的事，只要一个人肯在这件事上给自己设立规则就可以了。

关于第二点，愤怒的原因与动机主要有三个。首先是对于伤害太过敏感，每个愤怒的人都认为自己受到了伤害，因此娇嫩的人必定会经常生气。有很多东西会给他们带来麻烦，而这些对于内心强大的人是没有多大影响的。其次，是因受到了伤害而动怒，在这种情况中是充满蔑视的。蔑视是在愤怒的边缘的，它带来的伤害会超过伤害本身，因为轻蔑是善于引发怒气的,比受到伤害的怒气更多。最后,当舆论将一个人的名声毁坏时,也会增加并加重怒气。其中最好的补救措施是像康萨佛说的那样,拥有一个结实的荣誉之网。但是在所有抑制愤怒的方法中,拖延时间是最好的方法。要使一个人相信,他报复的机会还没有来,但这一次他可以预先看到这个机会,因此他就会在这个时候储备力量。

要让一个人愤怒但不造成伤害,在两件事上你必须特别小心谨慎。一是极端挖苦的话,特别是多刺且涉及当事人的话。"普通的谩骂"是没多大伤害的。二是在愤怒中不能显示的秘密,因为这会使他不容于社会。在处理任何事务时,都不能因为愤怒蛮横地决裂。但不管你怎样表示愤怒,都不能做出任何不可挽回之事。

至于激起或平息他人的愤怒,主要是通过选择时间做到的。在人们最不易控制情绪和心情糟糕的时候激怒他们。再者,可以通过收集(就像之前说过的)所有可以加重对其轻蔑的东西。补救措施则是相反的。在初次与人谈论可能导致其愤怒之事的时候,要选择一个好的时机;另外,尽可能消除造成其伤害的蔑视,并将它解释成误会、恐惧、热情或其他事项都可以。

论世事变迁与兴衰

所罗门说,"世界上没有新的事物。"同样,柏拉图也有一种见解,"所有知识都只是回忆。"因此,所罗门又说,"所有的新奇之事都只是遗忘了的事。"由此你可以看到河流不仅在地下奔流,同样也在地上奔流。有一个神秘的占星家说:要不是有两件事是固定的(一个是固定的星星,它们之间永远彼此保持着距离,永远不会走近些,也不离远些;另一个,就是恒星的自转公转是永远遵守时间的),就没有任何人可以支持到最后一个时刻。无疑地,物质是永恒变化的,从来没有停止的时候。而埋葬所有伟大的事有两个：洪水和地震。至于火灾和大干旱，只不过会减少人口和造成一些破坏。法厄同的车也只走了一天[①]。伊莱亚斯三年的干旱也只是在特定的区域，并且人们都活下来了。至于西印度群岛常有的天火，它们的范围也是很窄的。但其他两个破坏——洪水和地震，是需要进一步谈及的。那些经历了灾难而留下来的人通常都是无知的山人，他们不知道以前发生的那些事。所以，就好像所有事都被遗忘了。如果你仔细研究西印度群岛的人民，就有可能发现他们是旧世界中一个较新的或更年幼的族类。并且它以前可能不是被地震破坏的（如埃及祭司告诉梭伦的关于西特兰提斯岛的话，说它是被地震毁灭的），而是因为洪水而毁灭的。因为地震在那个地方是很少的。但另一方面，他们有这样的大河，让亚洲、欧洲和非洲的河流与之比起来就像小溪一样。他们的安第斯山脉也同样远远高于我们的那些山。由此看来，有一些人是在洪水中幸存下来的。就像马基雅弗利所发现的，派别之间的嫉妒使得许多东西的记忆不复存在，比如诽谤格雷戈里大帝，说他毁灭所有异教徒文物。我没发现那些狂热的事对形势有多大的影响，也坚持不了多久，这在萨比尼昂的继承上可以看出，他登基之后又恢复了前朝古风。

  天体的变迁是不适合在这篇论文中出现的。如果世界能持续那么长的话，那么柏拉图所说的"大年"（当天体的转动运动完成的时候）就有可能会有效果了。就是把人的状态更新（这只是一些人的构想，说天体可能对世事会有一些比它实际更精确的影响），但这显然是恶劣的。彗星，毫无疑问，在一些大事上是有一些恶劣和大规模的力量和影响的，但是我们只是凝视它们，等待着它们的旅程，而不是观察它们的影响，尤其是它们各自的影响。就是什么样的彗星，大小、颜色、光线的方向，还有在天上

[①] 法厄同是太阳神赫利俄斯与海洋女神的私生子，因驾驶父亲的马车失控，导致地面发生灾难，被宙斯以闪电打落马车，坠入埃利达努斯河。

的位置，出现多久，产生什么样的效果。

我曾听说过一个说法，我不想把它弃之不提，而要等待一些时日。他们说这是在低地国家观察到的（我不知道在哪个部分），每三十五年都有相同类型的年景和天气再次出现，比如大霜冻、大湿、大干旱、暖冬、凉夏等。他们把这称之为"循环"，这是一件我非常乐意提及的事，因为纵观历史，我发现有许多符合的地方。

现在且离开自然的事来谈谈人。人世间变化最大的东西就是教派和宗教的变迁，因为宗教大部分都是被人的思想支配的。真正的宗教是建立在岩石上的，其余的被扔在一波又一波的时间大海里。因此，要说说新派别兴起的原因，并给出一些关于他们的意见。关于人性薄弱的判断可以给这些伟大的变革带来多大的阻碍。

以前当宗教受到争斗而破灭时，当那些宗教的教士德行腐朽、充满丑闻时，再加之处于愚蠢、无知、野蛮的时代，如果正好出现一个奇异夸张的领导者，你就会怀疑一个新的教派要出现了。所以当穆罕默德出台他的法律时，就是那样的。如果一个新派别没有以下两个属性，就不用担心它，因为它是不会蔓延的。一是取代或反对已建立的权威，因为没有什么比这更受欢迎的。另一个是许人寻欢取乐，因为那些投机性的宗教（如古时候的白羊派和现在的阿米尼安派），尽管它们的工作大大影响人的心智，然而它们对于国家不产生任何大的作用，除非借助了公共力量。新教派有三种建立方式：以奇迹为标牌；靠口才、智慧的言论和说服力；用武力。对于殉道，我认为是一个奇迹。因为它们似乎是超过了人性的力量。至于那些令人钦羡的神圣生活，也是一样的。阻止新宗派发展的方法，当然没有比如下更好的了，即减小分歧，用温和的手段，而不是血腥的手段对待教众。并且赢得主要元首的帮助，而不是用暴力和痛苦激怒他们。

战争中的变化和变迁很多，但主要在三件事上：战争的位置和阶段；武器；作战的方式及行为。战争在古代似乎都是从东向西移动的。波斯人、亚述人、阿拉伯人、鞑靼人都是东部的人，而高卢人是西方的。但我们读书时发现他们只有两次入侵：一次是葛莱西亚，一次是罗马。但是东方与西方不是特定的点。战争的方向要么是从东方，要么是从西方开始，这些都是不确定的。但是北方和南方是固定的，并很少有或从未见过那遥远的南部人入侵北部的。很显然，这个世界的北部地区在本质上是更加崇尚武力的：无论是由于北半球的星宿，或是由于北方是广大的陆地，而南部，众所周知，几乎都是海洋；又或是（这是最明显的）北方地区非常寒冷，在那里不经过训练也能使身体顽强，血气旺盛。

一个伟大的国家或帝国分裂或微颤的时候，你就可以肯定将有战争了。因为伟大的帝国在强盛的时候，都是削弱和破坏当地人的力量，将其制伏，依靠他们自己的军队保护自己的。然后当他们走到灭亡的时候，他们就成了一个猎物。所以罗马帝国的衰败如此，查理大帝后的日耳曼帝国也是如此，每只鸟雀各争一羽。当这种命运降临到西班牙时，也没有什么不同。大国之合同样会挑起战争，因为当一个国家发展到一定程度，就像洪水，是一定会溢出的。这已被罗马、土耳其、西班牙和其他一些国家证实过了。纵观世界，当野蛮民族变少，人们在有生存途径的情况下才结婚或生子时（因为现在世界各国几乎是这样的，除了鞑靼），就不会有人口泛滥的危险了。但如果有民族只知道繁殖，而没有预见到生活方式和食物供给的问题时，必然有一两代需要把一部分的人转移到其他国家去。古老的北方人习惯用抽签的方式决定哪一部分人应该待在家乡，哪一部分人应该外出寻求生路。当一个好战的国家变得软弱糜烂时，往往会遇到战争。因为通常这样的国家在走下坡路的时候已是非常富裕的了，这会吸引猎物，而他们在战事上的弱势也鼓励了战争。

至于武器，几乎是没有固定规则的。但我们能看到，即使是它们，也有时代的差异。无疑，印度城市奥克斯大可斯很早就有了大炮，就是马其顿人所称的雷声、闪电和魔法。而众所周知的是，中国使用大炮已经超过两千年了。武器性能需要改进的地方有三个。首先,要打得远,因为这样就可以避免危险。这点可以在大炮和步枪中看出来。其次,强度的冲击力要大。其中枪炮等比古老的发明都要有用。最后,使用起来方便,风雨天也可以用,还要容易搬运。

对于战争的策略,开始的时候人们非常在意人数,也同样非常在乎战士的力量和勇气,他们事先在指定的地方扎营,然后布阵开始战斗。后来他们逐渐不再依赖人数,而开始用计谋取胜。这样,他们就越来越熟悉计谋的斗争了。

在一个国家的青壮年时代,武力是十分繁荣的。在中年时期,学术较为繁荣。然后在国家衰退的时期,有两者共同繁荣——手工业和商业。学术也是有起步阶段的,不过开始时几乎是孩子气;到了青年,非常有少年的朝气;到了壮年,是坚实且有度的;最后,到了老年,就变得枯竭了。至于文献中的故事,只不过是一个循环的故事,因此不适合在这里写。

论 谣 言

诗人把谣言塑造成了怪物。他们形容她的时候一部分精细优雅,一部分严肃简洁。他们说,看她有多少羽毛,羽毛下有多少眼睛;有多少舌头,有多少声音;她竖起了多少耳朵。

这是一种辞藻。还有一些好的寓言故事:当她走得越远,聚敛的力量就越大,她走在地上,然而她的头在云层中行进;她白天坐着一个观察塔,在夜晚飞行;她把完成的事情和没有完成的事情混合在一起;对于大城市,她是一个恐怖的东西。但是,有一个超越了其他的说法,他们这样描述:是大地,是与久皮特对抗而被毁灭了的巨人的母亲,在大怒下带来了谣言。因为反叛,也就是说那些巨人,的确是与煽动性的谣言和诽谤是同宗一脉的,就如一阴一阳。但现在如果一个人能驯服这个怪物,并把她放在自己手中养活,且控制她用她来杀死其他的飞禽,这是很有价值的。但这样的人也是受了诗人风格的感染。现在用悲伤和严肃的方式说一说:在所有的政治活动中没有比谣言更难以处理和值得处理的了。因此我们将谈到这些:什么是假谣言;什么是真谣言;她们如何分辨;如何播种和加大;如何传播和增长,如何抑制和消灭的,以及其他关于谣言本质的事。名誉是一股力量,因为在几乎所有伟大的行动中,谣言都占了很大一部分,尤其是战争。米修努斯通过散播谣言毁掉了维梯留斯:谣言说维梯留斯要把叙利亚的罗马军团调进德国,把德国的罗马军团调进叙利亚,这时叙利亚的罗马军团就愤怒了。朱利叶斯·恺撒给庞培突然一击,就是在使其戒心变得懈怠的情况下攻其不备。他狡猾地放出谣言说:恺撒的士兵已经不再爱戴他了,他们已经被战争和满载着的高卢人的战利品弄得疲倦了,恺撒一回到意大利他们就要弃他而去。利维亚为她儿子提比略谋皇位的时候,不断放出消息说她的丈夫奥古斯塔斯身体正在好转和恢复。而帕夏隐瞒土耳其大帝死于苏丹的战争,使君士坦丁堡免于被洗劫,这也是通常的做法。地米斯托克利说希腊人只要把波斯王泽克西斯所建的横跨达达尼尔海峡的桥毁了,就可以让泽克西斯急速地从希腊出来了。这样类似的例子有上千个,因此不再列举。一个人无论在哪里都能碰到这样的例子。所以,所有睿智的君王都要像注意自己的行为和计划那样小心谣言。

(未完)

新特兰蒂斯
Essays Civil And Moral & The New Atlantis

〔英〕培根 著

主编序言

培根去世后,他的文学遗嘱执行人罗利医生于1627年出版了"新西特兰提斯岛"。该文可能创作于1623年,也就是培根文学创作活动比较活跃的时期,紧接着就是他政治生涯的结束。与培根的其他论著相比,这篇文章篇幅不长,却生动地描绘了他对理想国家的评判标准和政治抱负。本萨利姆居民表现出来的慷慨、睿智、自尊、大气、虔诚和公德,代表了培根盼望而不只是希望看到的他自己的国度应该具备的特质。在所罗门馆,培根作为科学家尽情畅游在他关于人类知识的预言之中。稍具现代科学常识的读者一定会被培根那些数不清的假想所折服,因为它们跟现实科学成就是如此接近。他对于学院的规划和组织勾勒出了现代大学的轮廓。在基础科学和应用科学方面,他对数量惊人的新近发明与发现都做出了预测。此外,"新新西特兰提斯岛"反映了培根的一种典型态度。尽管热衷于制定宏大的科学真理追求蓝图,培根仍没有忘记科学的实用价值。他所追求的科学进步是以科学应用为目的的,这种应用必将增强人类对自然的征服能力，必将增加人类生活的舒适和方便程度。而对于形而上学或者其他不需要产生结果的抽象思维，他感到索然无味。探索的兴趣不仅限于此，它包含的内容还有很多，比如政治和科学理想。尽管这些理想尚未实现，但它们具有的借鉴意义和激励因素将有益于我们的未来。

查尔斯·艾略特

我们带着十二个月的粮食从秘鲁（我们在那里持续待了一年的时间）起航，经南海去中国和日本。有五个月或者更多的时间里，是吹着对我们有利的东风，尽管有一些弱。但是后来风向变了，许多天都吹着西风。所以我们行进得很慢或根本没有行进，甚至有时候我们都想掉头回去了。但是强劲的偏东的南风再次出现了，把我们带向（那是我们唯一能做的）北方。而那时我们的粮食（虽然我们已经十分节约）也将快耗尽了。于是我们发现自己在这世界上最大的水之荒野里，没有粮食，就只能等待死亡了。然而我们还是振作起来向上帝祷告，他是能带来"深海奇迹"之人。我们恳求他的怜悯，希望他能像创世时在海的表面露出一块陆地一样，给我们一块那样的陆地，那也许就能让我们免于死亡了。

又过了一天，大约到了晚上，在我们前方的视线内，也就是北方，有许多厚厚的云层，这使得我们有了一丝能到达陆地的希望。我们知道对于南海部分，我们是完全不了解的。这里可能有至今为止还未被发现的岛屿或者大陆。因此我们改变航向，连夜向着那有陆地迹象的方向驶去。第二天拂晓，我们清楚地看到了那儿的确是一块陆地。十分平坦，并且树林密布，这让它看起来十分昏暗。在一个半小时的航行后，我们进入了一个良好的港口，这是一座美丽城市的港口，虽然不是很大，但建造得十分好，从海上看过去，给人愉快的视觉感。我们觉得每一分钟都非常长，直到我们上岸为止。我们靠近了海岸，并且准备登陆，但是随即看到了好几个人，手中拿着棍棒（如果那可称之为棍棒的话）阻止我们登陆。但是他们没有任何凶狠的叫喊，而只是通过他们所做出的手势警告我们离开。因此这并没有让我们感到沮丧，只是我们现在应该怎么做呢？

就在这时候，一只小船向我们驶来，大约有八个人在船上。其中一个手上握着一根两端末尾是蓝色的黄手杖的人上了我们的船，没有显示任何的不信任。当他看到我们中的一个人站得比其他人稍微靠前，就把一张羊皮纸卷轴（比我们的羊皮纸更黄一些，像书写桌上的树叶一样闪闪发光，但更柔软易折）递交给我们中的最重要的人。在这书卷上是用古希伯来语、古希腊语、学派用的拉丁语和西班牙语写的："你们中的任何人都不能上岸，同时必须在十六天之内离开这个海岸，除非你们需要更长久的期限。与此同时，如果你们想要淡水或食物，或有人病了需要帮助，又或是你们的船需要维修，写下你们的需求，你们就会得到救济。"这个卷轴上印着小天使的翅膀的标志，没有伸展开来，而是垂着向下的。旁边还有一个十字架。把这个卷轴交给我们后，那个官员就回去了，只留下一个仆人来接收我们的回答。

我们商议的时候感到非常困惑。拒绝我们登陆，还让我们尽快离开，这都让我们非常焦虑。另一方面，我们发现他们的语言都充满了人性，这对我们来说是一个不小的安慰。最重要的是，在文件上的十字架的标志对我们来说是一件极高兴的事，它就像是一个好的预兆一样。我们用西班牙语回了话："我们的船还是好的，因为我们只是在平静的海面航行或逆风而行，并没有遇到任何暴风雨。而我们的病人有很多，并且病情十分严重，在这样的情况下，如果不被允许登陆，他们的生命就会有危险。"我们的其他的需求是另外特别添加的，我们还存有一些货物，如果他们乐意交易的话，可以用来交换我们的需求，不会对他们收费。我们给了仆人一些金币作为报酬，并把一块深红色的丝绒赠送给官员。但那仆人并没有拿，也没有看它们一眼。然后他乘坐着另外一条派来接他的船离开了。

大约在我们送出回复的三个小时后，一个（看起来）有地位的人来到我们这里。他穿着用一种水波图案的布制作的宽袖的礼服，比我们的光洁得多；他的里衣是绿色的，他的帽子也是绿色的，是一个头巾的样式，制作得非常精致，并且不像土耳其头巾那样大；他的几绺头发从帽缘边垂了下来。他看起来像是一个值得尊敬的人。他乘坐一条船而来，船的有些部分是镀金的，在那条船里还有另外四个人。后面跟着另一条船，里面有二十个人。当他离我们的船还有一箭射程距离的时候，他示意我们送几个人去与他们在水上碰面。我们立刻就把船准备好，把我们的主要负责人送过去，并派了四个人跟随他。

当我们来到距离他们的船六码的时候，他们叫我们停下来，不要再靠近。我们照做了。那人随即站了起来，大声呼喊，用西班牙语问道："你们是基督徒吗？"我们回答说："我们是。"因为我们在签名旁边看到了十字架，所以担忧少了一些。听到我们回答后，他举起他的右手，朝向天空，然后轻轻放在嘴边（这是当他们感谢上帝时所用的手势），然后说："如果你们（所有人）以救世主的名誉发誓，你们不是海盗，在过去的四十天也没有合法或非法地流过血，你们也许就能被允许登陆。"我们说："我们都准备接受宣誓。"于是其中一个人跟随他，像是公证员一样把这做了记录。当宣誓完成后，与这个大人物在同一条船上的另一个随从在听了他长官的吩咐后，大声说："我的长官想让你们知道，他不到你们船上去，不是因为骄傲或者崇高，而是在你们声明你们中间有许多病人，市卫生监督官告诫他与你们保持距离。"

我们向他鞠躬，并回答说我们是他谦恭的仆人，感谢他对我们的极大的尊重和人道主义。但幸好我们的人所患的病没有传染性。然后他就回去了，过了一会儿，那个公证员登上了我们的船，手里拿着他们国家的水果，像是橘子，但颜色是介于茶橘色和朱红色之间，散发出极其香甜的味道。他好像是用它来预防感染的。我们按照他说的"以耶稣的名义和他的功勋"发誓。然后他告诉我们,第二天早上六点钟的时候,我们会被送到外邦人馆(他是这样叫的),在那里我们所有的需要和病人都会得到满足和帮助。然后他就离开了。并且当我们想要给他一些金币的时候,他微笑着说他不能因为一份工作得到两份报酬。意思就是(我这样认为的)国家已经支付给了他足够的薪水,(我后来知道的)他们把官员拿赏金叫作二次支付。

第二天一早,第一次来的那个手持手杖的官员来到我们这里,告诉我们他是来带我们去外邦人馆的。他提前来是为了让我们有一整天的时间处理我们的事务。他说:"如果你们会听从我的建议,就应先让你们中的一些人和我先去看一看那地方,要如何才能使你们更方便;然后你们就可以接病人和其他一些人登陆了。"我们感谢了他,说关于他给予外邦人的关心爱护,上帝会给他嘉奖的。之后我们六个人跟着他登上了陆地,上岸后他走在我们面前,转向我们说,他是我们的仆人和向导。他带领我们走过三条美丽的街道。一路上,两边都聚集着一些人,站成一行。不像是对我们感到好奇,而是以一种非常文明的方式欢迎我们。当我们经过他们身边的时候,他们就把手臂向外打开一点,这是他们表示欢迎时的姿态。

外邦人馆是一栋美丽宽敞的砖砌的房子,砖的蓝色比我们的砖要深一些;还有好看的窗户,一些是玻璃的,一些是细油纺布的。他首先把我们带进了楼梯上一个美丽的客厅,然后问我们有多少人,又有多少人生病了。我们回答说,我们一共(加上病人的所有人)有五十一个人,生病的有十七人。他要我们有耐心一点,留在这儿直到他回来。大约一个小时后,他回来带我们去看为我们提供的房间,有十九间。他们就好像已经计划好了似的,其中的四个较好的房间可能是给我们四个主要领事,让他们单独居住的;其他的十五个房间则是让我们每两个人一个房间来住的。房间美丽又让人感到愉快,装饰得很有品位。然后他把我们带到一个像是宿舍的长廊，在那里的一边（另一侧是墙壁和窗户）是十七个小房间，非常整洁，并用雪松木分隔开来。这长廊和房间一共有四十间（远远超过了我们的需要），是作为医务室给生病的人住的。此外他还告诉我们，有任何痊愈的病人，都可以换到另外的小房间去，因此除了我们之前提到的那些房间外，还有十余间多余的房间。做完这些后，他带我们回到客厅，把他的手杖举高了一点（他们指挥或发布命令的时候就是这样做的），对我们说："你们要知道，按照这里的规矩，在今天和明天（这时间是给你们用来把你们的人从船上转移过来的）后，你们要待在室内三天。但是不要把它当作一种麻烦，也不要认为自己被限制了，那只是让你们休息和放松的。你们不会缺任何东西，我们会派六个指定的人来照料你们，帮你们处理在外的事务。"我们带着感情与尊敬对他表示感谢，并说："上帝肯定已经在这片土地显现了。"我们也想给他二十金币，但他笑了，只说："什么，二次支付？"然后他就离开了。

不久后我们的食物就送来了，面包和肉都是极好的食物，比任何我们知道的欧洲的学院食物都好。我们还喝了三种酒，都是有益健康且香醇的：有一种是葡萄酒；还有一种是谷物类的酒，有些像我们的啤酒，但更淡些；还有一种用当地水果酿造的苹果酒，那是十分美妙的令人愉悦和提神的饮品。此外，还给我们带来了一些给病人的红色的橘子。（他们说）那是治海上疾病的有保证的疗法。还给了我们一盒灰色或白色药片，他们希望我们的病人每天晚上睡觉前都能吃一片，（他们说）这将会加速他们身体的恢复。

第二天，在我们做完搬运货物和转移人员这些麻烦事之后，我觉得最好把我们的人都召集起来。集合后，我对他们说："亲爱的朋友们，让我们了解自己，以及我们现在的处境。我们是被抛弃到陆地上的人，就像乔纳斯离开了鲸鱼的肚子一样。以前我们在海洋里，现在在陆地上，我们不过是在死亡与生存之间。因为我们已经超出了新的和旧的世界。我们还能不能看到欧洲，就只有上帝知道了。他把我们带到了这里是一种奇迹，要把我们带回去，也必定少不了这一点。因此对于我们过去的得救，和我们现在与即将来临的危险，都让我们仰望上帝吧。另外，我们来到了信仰基督教的人群中，他们是充满虔诚和人道主义的人。我们不要在他们面前展露我们的恶习或不相称的一面，以免丢了我们的脸。还有，因为他们的戒条（虽然是以很礼貌的方式），把我们隔绝在室内三天，谁知道他们是不是用这样的方式来观察我们的行为和举止呢？如果他们发现我们有不好的地方，就会把我们驱逐出境；如果发现我们是好的，就会给我们更多的时间。而那些他们派来放在我们身边的人，可能也是用来监视我们的。因此为了上帝的爱，和我们对于我们灵魂和身体的爱护，让我们规范自己的行为，这样我们就会得到上帝的认可，也能在这里人的眼中找到善意。"我们的同伴都异口同声地感谢我善意的提醒，并答应我会严肃恭谨地住下去，不会有任何冒犯的行为。所以我们度过了三天快乐而无忧无虑的日子，想象着三天后他们会怎样对待我们。在此期间，我们最高兴的就是我们的病人病情好转，他们觉得自己像是被扔进了一些神圣的治疗池一样。他们恢复得如此自然，又如此迅速。

三天后的翌日，到我们这里来的是一个我们以前从没见过的新人。和以前的人一样，也是身穿蓝色的衣服，只是他的包头巾是白色的，顶部有一个红色的十字架，还围着一个亚麻布的披肩。他进来的时候，向我们微微点了点头，并把他的手臂向外伸。我们以非常谦逊且恭顺的态度向他致意，就好像我们是要从他那里得到生死判决一样。他想跟我们中的一些人谈话，于是我们留下了六个人，其余的人都退出了房间。他说："在官职上，我是这个外邦人馆的馆长，从使命上来说，我是基督教的牧师。因此我是以陌生人和基督徒的身份前来为你们服务的。有些东西我要告诉你们，我认为你们不会不愿意听的。国家允许你们待在陆地上六个星期的时间，但如果你们需要更多的时间来办理事务，也不会是件麻烦事，因为法律在这一点上并不是那么严密的。我确定我可以帮你们申请获得更长的停驻时间，这样可能会更方便。你们也要明白，外邦人馆现在是很富足的，很多储备都是非常完备的。已经很久没有人来了，所以这里已经有三十七年的财政收入了。因此你们不用担心，国家将会支付你们留在这里所需的所有费用。你们不必为此而少住一天。关于你们带来的任何商品，都会得到很好的使用，你们可以得到无论是金银或货物的回报，因为这对我们来说都是一样的。如果你们还有任何其他的请求，不用隐藏。你们将发现我们不会让你们因为得到我们的答案而失落的。只是有件事我必须告诉你，没有特别许可，你们不能离开城墙一卡兰（这是他们的一英里半）远。"

在我们短暂地一个看另一个之后，我们都惊讶于他们仁慈和如父如母般亲切的行事方法。我们回答说我们不知道还能说些什么了，我们找不到语言来表达我们的感谢。他大慈大悲的无偿供给让我们别无他求。对我们来说，就像是一幅天堂的画卷展现在我们面前一样。因为我们不久前还在鬼门关口，现在被带进一个只有安慰的地方。至于那些戒条，我们会遵守的。我们的心也想在这个快乐且神圣的土地上走得更远，尽管这是不可能的。我们还说，在我们祈祷时，如果我们忘记了他这位可敬的牧师或者这个国家，我们的舌头就会黏在上腭上。我们也俯首恳求他，希望他接受我们成为他忠实的仆人，这是世界上任何一个有责任的人都有的权利：把我们及我们所有的一切都呈现在他的脚下。他说他是一个牧师，只求得到作为牧师应有的报酬，那就是我们的兄弟之情，还有我们的灵魂和肉体的安好。然后他就离开了，在他的眼中还有着饱含温柔的眼泪，让我们心里也混杂着喜悦和仁爱。我们在自己这群人中说，我们来到了天使之地，天使每天都来到我们面前安慰我们。那是我们从来没有想到，也不曾期盼过的。

第二天，大约十点钟，馆长又来了一次，打过招呼后，他亲切地对我们说他是来看望我们的，并要了一把椅子坐下来。我们这里大约有十个人（其余的都是些地位低的，不然就是出去了）陪他坐了下来。当我们坐下后，他开始说："我们这个本撒勒岛（他们的语言是这样叫的）是这样的，由于与世隔绝的先天条件，对于我们的旅行者和鲜少的允许进入的外邦人的保密法，我们知道世界上适宜居住的其他部分，但我们自己是不被人所知的。因此，由于知道得少的人更适合于提问，为了消遣时间，你们提问比我来提问更合理一些。"

我们回答说，我们谦恭地感谢他留给我们提问的机会，并且从我们已经得到的体会中来看，世界上没有任何一个地方比这片乐土更值得我们去了解了。但最重要的是，（我们说）因为我们都是从不同的地方聚集在一起的，而我们都是基督徒，所以我们终将会在天国里相遇的。我们想知道，这片土地是如此遥远，又被广袤未知的海洋将其与嫉妒走过的土地分割开来，谁是这个国家的使徒呢？他们又是怎样皈依这个信仰的呢？从出现在他脸上的表情可以看出，他非常满意我们提出的问题。他说："你们首先问这个问题，表明你们首先追求的是天国。而我也非常乐意完全满足你们的要求。"

"大约在我们的救世主升天后的二十年，发生了一件事，伦佛萨（在我们岛屿东海岸的一座城市）的居民在一天夜里（那是多云且平静的一晚），看到在大约几英里的海外有一支巨大的光柱，不刺眼，但形状上像是柱子或者圆筒，从海面一直连接到天空中。并且它的顶部是一个巨大的十字架，其光线的璀璨比光柱本身更加明亮。城市里的人们都聚集在沙滩上观赏这个令人惊叹的奇观，他们要乘坐小船，就近目睹这一奇妙的景象。但是，当他们驾船到离光柱大约有六十码处的时候，他们发现自己被束缚住了，不能再前进一步，然而他们可以在周围移动，只是不能靠近。就好像所有的船在一个剧院里，观赏这如同天界标志的光柱。出乎意料的是其中一条船中有一位智者，他来自所罗门议院界，或者说学院，正是这个王国的眼睛，埋着头用了一段时间专心且虔诚地思考这个光柱和十字架。然后他跪着扬起身子，将他的双手朝天空举起来，用他的方式祷告起来：

"'天上地下的我主上帝啊，你将你的恩典赐予我们这些人，让我们知道你创造之工作，以及它们的秘密。让世世代代的人都看到神的奇迹，自然的工作，艺术的创作，还有各种各样的欺骗和假象。我在这儿承认并为其做证，我们现在眼前看到的东西是你的旨意和一个真正的奇迹。在我们学习的书中，你只在为了神赐的和美好的目的时，才会彰显神迹的（因为自然规律是你的法律，你是不会打破它们的，除非是为了极大的事）。我们俯伏恳求你让这个伟大的迹象成功，并仁慈地给我们解释并且告诉怎样使用它。在你把这个迹象传达给我们的时候，在某种意义上说你已经秘密地允诺我们了。'

"当他做完祷告后，马上发现他的船不再受到阻碍，并且在向前移动。而其他的船仍然受阻碍。他把那认为是他得到了接近的许可，于是轻柔且安静地划向了光柱。但是在他还没靠近时，光柱和十字架就消散了，散为了满天的繁星。不久之后这也消失了，并没有看到还剩下什么东西，除了一个小柜，或者说是雪松柜。尽管这个柜子是浮在水上的，但是却干燥，没有被水浸湿。并且在它的前端，朝向着那位智者生长出了一枝棕榈。智者带着虔诚把柜子拿进了船里，柜子就自动开了，里面有一本书和一封信，都是用极好的羊皮纸写的，并且包裹在亚麻布里。和你们的一样，书中包含所有正经的旧约和新约（因为我们知道你们的教会所接收的教义），还有启示录和一些其他当时尚没写成的新约的书。至于那封信，是这样写的：

"'我巴塞洛缪，基督最忠实的仆人及使徒，在一个光芒四射的幻想里，我被一位出现在我面前的天使预告，让我把这柜子放在大海之上。因此我来向上帝授予此柜的土地之人民做证并宣布，他们会在同一天得到圣父和我主耶稣的救赎，和平及祝愿。'

"并且在这本书和这封信的著作上，也显示了伟大的奇迹。与基督徒一样，用的都是最原始的语言。

"因为当时在那片土地上除了当地人外,还有希伯来人、波斯人和印第安人,但每一个人读到书信上的文字时,都感觉是用自己的语言书写成的一样。因此通过这个柜子和巴塞洛缪带来的神奇的使徒福音,这片土地就从不忠实中被解救了出来(就像把旧世界的大陆从水中解救出来一样)。"

到这里他停顿了一下,并且有一个信使来把他叫走了。这就是那个会议的所有经过。

第二天晚饭后,这位馆长又来了,并向我们致歉,说他前一天走得有些突然,如果我们觉得和他谈论的事非常愉快的话,现在他会做些补偿,愿意花时间陪我们聊聊。我们回答说,听他说话是令我们愉快的,让我们忘记了过去的危险和对即将到来之事的恐惧。我们认为与他度过一个小时,比我们以前生活多年更有价值。他向我们稍微鞠了一下躬,然后我们又坐了下来。他说:"好吧,你们提问吧。"

停顿一小会儿,我们中的一个人说,有一件事,我们希望知道的欲望不比恐惧少,但是又怕太过冒昧。但得到他们对我们少有的人道主义(那几乎让我们认为自己不是外地人,而是他们忠实的仆人)的鼓励后,我们艰难地打算提出来,并谦恭地恳求他,如果他认为不适合回答我们,可以拒绝回答,并原谅我们。我们说,从那些他说的话中我们也观察到,我们现在所在的这片乐土,是鲜为人知的,但是却知道世界上的其他许多国家。我们发现那是真的,他们会欧洲的语言,并且知道许多关于我们国家的事。但我们在欧洲(尽管近些年来有较远的航海和一些发现),却从未听说过关于这个岛的事。我们发现这是非常不可思议又奇怪的。因为现在所有国家都通过航海到其他国家或者外邦人的进入,都对彼此有所了解。尽管旅行者到国外通常比那些待在家里通过别人知道的人要见识得更多些,然而这两种方式在某种程度上足以使他们相互了解。但是对于这个岛,我们以前从来没有听说过他们的任何一艘船到达过欧洲的海岸,又或者东西印度群岛,也没有任何世界上其他部分的船是从他们那里回来的。

然而令人感到奇怪的还不止于此。对这种情况（如阁下先前说的），也许是被广袤的海洋包围形成了私人的空间而导致的。但之后，他们有着许多离他们距离遥远的国度的语言、书籍，事务的知识，我们不知道其原因是什么。因为那对于我们来说就像是一种神力，把自己隐藏起来而让别人看不见，然而却让别人像站在光亮中一样使自己能清楚地观察。

听完这些话后，馆长露出一个亲切的笑容，说我们在问问题之前请求他原谅是对的，因为那问题意味着我们认为这片土地上的人都是魔法师，把他们的精神散发到了空中，去到各个国家探听消息和情报。我们所有的人都谦逊地回答了他，只是脸上带着知道他说这些是想让我们开心的表情。"我们的确认为这个岛上是有一些超自然的理想存在的，但我们认为那是天使的魔法而非魔力。"但为了让他真实地知道我们为什么有疑惑而去问他这个问题，我们告诉他那其实并不是我们自己认为的，而是因为我们记得，他以前说过的话中有一些这样的迹象，说这片土地对外邦人是有保密法律的。关于这一点他说："你们记得不错，因此在我和你们说话的时候，我必须保留一些不符合法律的细节。但还是会有足够东西是能说的，也能让你们满意的。"

"你们应当知道（也许你们觉得是不可信的），大约三千年前或更早的时候，世界的航海（尤其是对远程航海）比现在还要繁荣。你们不要认为我不知道这六十年你们的航运增加了多少，那些都是我知道的，但我要说那时的航运比现在的更繁荣，无论是将人们从洪水中拯救出来，给人们在水上冒险的信心的方舟的例子，还是其他的例子。这些都是事实。非尼先人，尤其是泰利安人拥有巨大的舰队。于是迦太基人有远在西方的殖民地。在东方、埃及和巴基斯坦的航海也一样发达。中国和伟大的新西特兰提斯（你们称之为美国），只有破烂物和独木舟存放在大船里。这个岛（根据这些年可靠的记载显示）在那时已经有一千五百条牢固的大船。所有这些，也许你们记得的很少或不记得，但关于此我们却有大量的了解。

那时，这片土地是被人们所知的，经常有之前提到的所有国家的船只光临。（如过去所发生的一样）许多次从其他国家来的人都不是海员。比如波斯人、迦勒底人、阿拉伯人，几乎所有知名的国家的人都在此聚集。我们这儿的人与常到该国的人存在血缘关系。我们的船只也有过各式各样的航行，到过你们称之为赫拉克勒斯之柱的海峡以及大西洋和地中海的其他地区。至于东方海上的帕龟安（也就是上京）和奎尼兹，已经远到东鞑靼的边界了。

"同时大约在一个世纪或者更久之后，那伟大的新西特兰提斯的居民蓬勃发展起来。就像由你们的一位伟人记叙和描述的一样，海王星的后裔定居在那里，有着宏伟的庙宇、宫殿、城市和山，还有四通八达的通航河流（就像许多的链子连接着这些地方和庙宇）。还有一些不同程度的爬坡，凭借它们人们可以向上攀登，好像那是通往天国的阶梯一样。这些都极富诗意并且如寓言般美好。但那都是真的，我们所说的新西特兰提斯这个国家，是和当时叫作科亚的秘鲁，还有当时叫作提拉贝尔的墨西哥一样在武力、航海和财富上非常强大的。因为在一段时期（或者至少在十年的时间内）内他们都举行过两次伟大的远征：提拉贝尔经过大西洋到达了地中海，科亚人通过南海到达了我们这个岛。在这之前，你们中的一位到过欧洲的作家，与埃及的牧师有一些关系，说确实有这样一件事发生。但是古雅典人是否光荣地击退阻止了这场武力行为，我不能下定论。可以肯定的是，没有一艘船或一个人从那次航行中回来。关于科亚人到我们这里的航行，如果不是他们遇到了更仁慈的敌人，也不会幸运多少。这个岛上的国王叫阿特滨，他是一个聪慧且骁勇善战之人，他对自己和敌人的力量都十分了解，能处理所有的事务。就像他切断了敌人的地面部队与他们船只的联系，用更大的军力使敌人的海军和他们的陆军都落入了自己的陷阱，迫使他们无反抗地投降。然后为了显示自己的仁慈，他让所有人都发誓不再用武力反抗他，然后就把他们都安全地释放了。

"但是他们在骄傲自大地行事后不久便遭到了神责。因为在不到一百年的时间里，伟大的新西特兰提斯就完全被摧毁了。不是因为你们所说的地震（因为那个地方是很少有地震的），而是由于部分的暴雨或洪水。如今那些国家有着比旧世界任何地方都更大的河流和更高的山峰。但是那洪水真的不是很深，大多数地方离地面也不过四十英尺。所以，尽管它毁灭了人与牲畜，然而一些居住在野外的野人却幸免于难。鸟类也因为飞到更高的树木和森林中而得救。而对于人来说，虽然他们有许多建筑高出水的深度，但是这场洪水尽管很浅，却延续了很长的时间。所以那些被围困的人们往往不是被淹死，而是因为缺乏食物和其他的必需品而死的。

"所以你们不要对美洲人口的稀少和那里人的粗鲁和无知感到惊奇。因为你必须考虑到美洲居民是一个年轻的族群，至少比世界其他国家的族群年轻一千年。因为全球性的洪水和他们部分地区的泛滥中间隔着很长一段时间。而那些遗留在山中存活下来的可怜人类，开始一点点慢慢地在那里定居。他们是简单的野蛮人（他们不像诺亚和他的儿子，是地球上最主要的家庭），不能给他们的后代留下文字、技艺和文明。他们像他们住在山上的时候一样（那是在极寒冷的地区），穿着老虎、熊和毛山羊的皮。后来他们下到山谷地区的时候，发现那里有难以忍受的高温，不知道怎样弄到轻便的遮盖物，他们就被迫开始裸体的习惯，一直到了今天。只是他们对于佩戴鸟羽感到非常骄傲和高兴，这也是他们从他们祖先那里继承下来的，因为无尽的鸟儿被邀请进入高处的山地，而洪水在山下面。所以你们看，这就是我们和美洲人失去贸易的主要原因了。而他们是离我们最近的，我们之间的贸易比和其他任何国家做的贸易都多。

"至于世界上的其他地方，显然在接下来的时代（无论是因为战争还是自然变革）海航都大大衰减，特别是远航（因为当时用的是平底船，那种船是很难穿越大洋的），几乎完全没落了。因此后来交际这一部分从以前的很多国家到这里来变为都停止了，除了有时候像你们这样意外来到这里的。而交际的另一部分，也就是我们为什么停止了到其他国家的航海，我也必须让你们知道原因。因为我不能说（如果我必须说实话），但是我们航运的数量、力量、水手、领航员，和关于航海的一切都同以前一样强大。因此为什么我们要坐在家里呢？我现在会通过它本身给你们解释，这也将让你们对于你们所问的主要问题感到满意。

"大约一千九百年前，一位国王统治着这座岛，他做的所有事我们都非常尊敬，并不是迷信，而是因为尽管他只是一个凡人，但他是作为一个神的代理人。他的名字是索拉蒙那，并且我们都尊他为我们的国家的立法者。这位国王有博大的心胸，不可思议的善良，并且一心想让他的国家和人民幸福。他认为这片富饶的土地没有任何外邦人的援助也是可以维持的。方圆五千六百英里的土地都是肥沃的，而他也发现这个国家的船只可以做许多的工作，可以用来捕鱼，进行港口间的运输，同样也可以出海到一些离我们不太远的被这个国家所统治的小岛上。这让他想起了当时的快乐和繁荣，关于此有千万种方式将其变得更糟，却没有任何一条路可以让其变得更好。虽然他高贵且英雄般的意图并不缺乏任何东西，而他只是想（人们的远见所能看到的）让他那时候所建立的快乐能一直持续到永远。因此他在这个国家颁布了一些对于外邦人进入的禁令，在那个时候（虽然这是在美洲的灾难后）还是频繁地有许多外邦人来的，害怕带来新奇的东西和双方习俗、方式的混合。当然，像这样反对外邦人进入的法律是中国那种古老的、并且现在仍在使用的法律。但是那是一种很有缺陷的东西，它造就了一个好奇、无知、恐惧、愚蠢的民族。而我们的立法者使他的法律有了另一个性质。首先，他保存了所有的人道主义，照顾并供给那些有困难的外邦人，这一点你们已经体会到了。"

讲到这里的时候我们都站起来，向他鞠躬。然后他继续他的故事。

"国王还渴望把人道主义和政策加在一起，但是考虑到违反外邦人的意志把他们拘留在这里是不人道的，让他们回去把他们在这里知道的事说出去又是违反政策的。于是他采取了这个方法：在任何时候，被允许登陆的外邦人，与离开时候的数量必须要一样。但是愿意留下来的人将会获得很好的待遇并且在这个国家生活得很好。因此自从颁布了禁令以来，我们不记得有一艘船回去过，而好几次回去的人加起来也才只有十三艘。那一小部分回去的人如何评说这里我不知道，但是你们可以想象，无论他们说什么，别人都会认为他们是在做梦。现在从我们国家到国外旅行的人，我们的立法者认为应该完全抑制它。中国不是那样的，因为中国人可以航行到他们任何想去或能去的地方，这表明他们禁止外邦人进入的法律只是一种懦弱和恐惧的体现。但是我们的限制还有一个例外，这是令人钦佩的，就是保留与外邦人交流的好的部分，避开有害的部分。我现在将要跟你们好好说说这个。说到这儿也许我有一点跑题了，但是你们会一点点发现这还是有关联的。

"我亲爱的朋友们，你们要知道，在我们国王所有优秀的行为中，最卓越的一件事就是被我们称之为'所罗门馆'这一机构或协会的建立和制定。（我们认为）那是世界上最雄伟的组织，是这个王国的指明灯。它是为了上帝的工作和创造的研究而存在的。一些人认为它根据创始人名字而来的原始的名字有所损坏，因为它应该被叫作'所罗蒙那馆'。但这些记录是按照当时的口语而写的，所以我也就认为它是根据希伯来王的名字命名的。这位国王在你们中是很著名的，对于我们来说也并不陌生。因为我们这里还有他的部分著作，而你们已经完全丢失了。他写的一本名叫《自然历史》的书是关于植物的，从黎巴嫩的雪松写到生在墙上的苔藓，还有所有有生命和行动力的植物。这让我想到我们的国王，他发现自己在许多方面都与希伯来王（希伯来王生得比他早许多年）相像，因此用这个组织的名字来纪念他。我很倾向于这种观点，因为我发现在古代的记录中，这个协会经常被叫作'所罗门馆'，有时候又被叫作'六日大学'。借此我知道我们英明的君王是从希伯来王那里学到了上帝用六天创造世界的事。

因此他在建立这个找寻万物真正天性（上帝在工作的时候会借此得到更多的光荣，人们在使用的时候会获得更多的成果）的会馆时，给它取了另外一个名字。

"现在让我们回到目前的打算上来吧。当国王禁止他所有的人民航海到任何不属于他统治的地方的时候，他还制定了这样一条法令：每十二年，要从这个国家派出两艘船，并且在这艘船中要有三名来自'所罗门馆'的兄弟同胞，他们的差事就是带回他们去的那些国家的一些事务和消息，尤其是全世界的科学、艺术、制造和发明等。还要给我们带回一些书、乐器和各种各样的模型。船在将来自'所罗门馆'的兄弟放下后，就要马上返航。而那三名同胞则要一直待在那个地方直到新的使节团去。这些船并不是充满着不愉快的事的，相反它存储了粮食，还给弟兄们留下了质地非常好的珍宝，让他们购买物品和报答那些他们认为适合的人。现在，让我来告诉你们一般的水手如何隐藏在陆地上不被发现，他们如何在其他国家的名义下伪装自己，他们计划航向什么地方，新的和旧的使节团要在哪里会面，还有其他一些类似的事情。我也许没必要说，因为你们也没有多少欲望知道。但是你们可以看到我们的贸易不是为了金银或者珠宝，不是为了丝绸或香料，也不是为了其他的货物，而只是为了上帝所创造的第一样东西，那就是光。我们想要得到世界上各个地方的光。"

说完这些话他就沉默了，我们所有人也同样沉默了。因为确实我们都对所听到的这些奇怪的事情感到惊讶，他感觉到我们想要说一些话，但是还没有准备好用怎样的措辞，于是停下来问我们关于航海、财富和其他的一些问题。并且在结束的时候，让我们好好想想自己要在这里待多久，并嘱咐我们不要违心，因为他可以帮助我们获得我们所期望的时间。于是我们都站起来，想要亲吻他披肩的边缘以作感谢，但是他不接受，然后离开了。当我们的人听到这个国家对外邦人如此优厚的条件的时候，我们不能说服任何一个人去照顾我们的船，并且阻拦他们去馆长那里请求得到这些优待。

我们现在把自己当作自由人,又看到目前没有毁灭的危险。我们生活得很快乐,我们到临近的城市和地方观光,并且认识了很多城里的人,他们并不是最卑微的人群,在他们那里我们看到了人道主义,他们对外邦人给予的自由与热情都是发自内心的,这让我们忘记了故乡那可爱的一切。并且我们还发现了很多值得观察和研究的东西,确实,如果世界上需要有一面足够吸引人眼球的镜子,那必定是这个国家。

有一天,我们中的两个人被要求参加一个他们所谓的家庭宴会。那是一个十分自然、虔诚、庄严的风俗,这表明这个国家聚合了世间所有的美好。它的方式是这样的:如果有任何人能够活着看见自己的三十个子孙后代都活着,并且所有的人都在三岁以上,国家就会出资为他举办这样的宴会。这个家庭的父亲,他们称之为"特森"。在宴会的前两天,他可以邀请他的三个朋友,然后在宴会举行之地的长官的协助下,把家庭里的所有男女召集起来参加宴会。这两天里,"特森"要坐下来咨询所有家庭的情况。在那里,如果有任何家庭之间出现不和谐或争端,他们就在那里解决消除矛盾;如果任何家庭有悲伤或者不幸,就会减轻他们的负担让他们生活得更好。在那里,如果任何人做了不道德或不好的事,他们就要受到责备和谴责。所以同样地,也会给婚姻问题、职业问题、生活问题一些指导。他们所有人都必须要遵从这些不同的命令和建议。并且如果有人不服从的话,长官就会使用他的公众职权来帮助执行"特森"的命令。不过这样的情况很少,因为他们非常尊敬服从自然规律。"特森"还要挑选一个他的儿子来与他住在一起,那个儿子会被称之为"藤蔓之子",理由以后会说明。

在宴会那天,"特森"会到一个举行宴会的大屋子里祈祷。这房间正前方有一个平台。离墙半步左右的地方,是一把为他安放的椅子,更前面还有桌子与地毯。椅子的华盖是用常春藤制成圆形或椭圆形的,这种常春藤比我们的常春藤略白一些，就像白杨的叶子，但是更光亮一些，因为它在整个冬天都是绿色的。这个华盖是用各种颜色的锻银和丝绸绑在常春藤上制成的，是这个家庭中的一些姑娘制作的，顶部还有一层用细网丝和银丝所制的纱。但这个东西真的是用常春藤做的，因此当它被取下后，这个家庭的所有人都希望能够得到一些叶或枝来保存。

"特森"会和他的所有子孙后代一行一行地出来，男人走在他的前面，女人走在他的后面。如果有一位母亲是生育所有这些后代的人，就会让她坐在椅子右手方的阁楼上放置一层帷幕，设有暗门，装着金蓝色玻璃雕刻的窗那里，但是没有人看得见她。当"特森"出来后，他就在椅子上坐下来，然后所有的人就按照年龄不分性别地一行一行地靠着墙站在他的身后和旁边半步远的位置。当他坐下后，房间就挤满了人，但是控制得很好并且没有混乱。休息了一会儿之后，从房间的另一端来了一位塔拉坦（很像一位使者），并且在他的两边有两个年幼的孩子，一个拿着发光的黄色羊皮纸卷轴，另一个拿着一串带着长梗的金黄色葡萄。使者和孩子都穿着水绿色缎子的斗篷，但是使者的斗篷是镶了金边的，并且有摆尾。

然后使者行了三个礼，或者说是点头。他来到平台前面，首先拿起卷轴。这个卷轴是国王的圣旨，包含着赐予这个家庭的荣誉家长的礼物、特权、豁免权和荣誉。它永远是以这个方式开头的："致我们亲爱的朋友和债权人"，而这种称呼只有这种情况下才适当。他们说，国王除了为他的国家繁衍后代之人之外，不欠任何人的。上面的印章是国王的金色雕像。虽然这样的特权是理所当然的，然而这也是要根据家庭人数和荣誉来裁量而有不同的。大使大声地宣读圣旨，在读的时候，"特森"在他所选的两个儿子的支撑下站起来听，然后使者走上平台，把圣旨交到他的手里。此时，所有的人们都欢呼：本撒勒的人民永远幸福。

然后，使者又从另一个孩子手里取来那串茎和果实都是金色的葡萄。葡萄的颜色非常别致，如果这个家庭男性占多数的话，葡萄就涂紫色，在顶端有太阳；如果女性居多的话，那么他们会涂青黄色，在顶部加上新月。葡萄的数量和这个家庭的后代人数一样。使者把这串黄金的葡萄交给"特森"，再由他交给他选来和他一同居住的儿子。所有人都明白，他在他父亲面前拥有了这样东西，就像是一面荣耀的旗帜，于是这就叫作"藤蔓之子"。

仪式结束后，"特森"退席，过了一段时间再次出席来进餐。他像之前那样一个人坐在华盖之下，因为他的后裔无论有多么高的荣耀和地位，只要不是"所罗门馆"之人，就不能与他同坐。他只能被他自己的孩子所服务，如果是男性，就要跪着对他进行餐桌上的服务，而女性则只能靠在墙边站着。房间中平台下的两边都有用来招呼客人的席位。他们提供的东西都非常好并且井然有序。在宴席快结束（他们最大的宴会也不会超过一个半小时）的时候，大家一起颂圣歌。诗歌根据创作之人的不同也会有不同（因为他们有极好的诗人），但是主题总是赞美亚当、诺亚、亚伯拉罕的，因为前两人使世界充满了人，最后一个是信念之父。最后大家感恩于我们的救世主的诞生，只有他的诞生才能让所有的诞生受到祝福。

晚餐过后，"特森"再次退席，回到自己的一处地方去做一些个人的祈祷。他第三次出来的时候，对他所有的像第一次那样站在他周围的后裔们祝福。然后他又一个个地点出他们的名字，尽管很少有年龄顺序倒置的时候。那个被叫到的人就跪到他的椅子面前（这时候桌子已经移开了），家长就把手放在他或她的头上，赐予祝福的话："本撒勒的儿子（或女儿），给予你呼吸和生命的父亲现在对你说，永在的天父、和平之主、神圣的鸽子这三者，让你的朝圣之路又多又好。"他对他们中的每一个人都这么说，如果哪个儿子有非常杰出的优点和美德（不超过两个），他就会再把他们召集到跟前，把手臂放在他们的肩上——对他们说："孩子，你们的出生是美好的，赞美上帝，并且坚持到底。"说完这些后他给他们每个人一件做成小麦穗形状的宝石饰物，这样他们以后就可以戴在头巾或帽子上。这些事情结束后，他们就按照他们的习俗开始表演音乐、舞蹈、还有其他一些娱乐，直到这一天完结为止。这就是宴会的全过程。

那时六七天已经过去了，我直接认识了这个城里的一个名叫约宾的商人。他是一个犹太人并且受过割礼。因为这里只有很少的一部分犹太血统留了下来，并且他们拥有自己的宗教。他们这样做是更好的，因为他们和其他地方的犹太人性格是非常不同的。他们讨厌基督的名字，并且对他所在地方的人民怀有敌意。但这里正好相反，他们给了我们的救世主许多的尊敬，并且极爱本撒勒这个国家。当然，我说的这个人是个会承认基督是处女生出来的人，他不仅仅是一个普通人；他会告诉别人上帝是如何让耶稣来统治那些保卫他王位的天使的。他们用"米尔肯之路""救世主"和其他高贵的名字称呼耶稣，这虽然不如他神圣的威严，然而跟其他犹太人的语言却是有很大差别的。

关于本撒勒这个国家，这个人有说不完的话。他希望根据犹太人中间的传统，人们相信这个人是亚伯拉罕的后代。由另一个儿子，也就是被他们叫做那克兰的人传承的。他们现在使用的法律是摩西秘密制定的本撒勒法律。当救世主到来，坐上他在耶路撒冷的宝座时，本撒勒的国王就坐在他的脚边，而其他国王要与之保持很远的距离。但是撇开这些犹太人的梦想，那人的确是极聪慧、善于学习、有谋略，并且对于当地的法律和习俗有很好的认识之人。

在其他的谈话中，有一天我告诉他我从我参加的家族宴会的习俗中受到了很大的关于我的亲戚的影响，因为（据我看来）我从来没有听说过对于自然天性有一个如此庄严的主持活动。而且因为家族的传承乃出于婚姻，我想知道他们这里关于婚姻的法律和习俗，他们是否保持良好的婚姻，以及他们是否只能有一个妻子。因为希望人口增多的地方，通常都是允许男人有多个妻子的，而这里显然就是一个希望人口更多的国家。

关于这点，他说："你有理由去称赞家庭宴会那样极好的制度。事实上我们有经验，那些有过家庭宴会祝福之人以后都会繁荣兴旺。但现在听我说，我会告诉你我所知道的。你应当知道，世界上没有像本撒勒那样纯洁的民族，免于所有污染或纠缠，这就像是世界的贞女一样。我记得我在你们欧洲的一本书上读到过，一个圣隐士想要看到'私通之心'，因此他的面前出现了一个丑陋的小人。但是如果他想要看到的是本撒勒的'贞洁之心'，就一定会出现一个美丽睿智的天使的形象。因为没有比凡人中思想纯洁之人更值得钦佩的人了。因此要知道，有他们的地方就没有焦虑，没有妓院，没有妓女，也没有这样的事情。不仅如此，他们想知道为什么在你们欧洲能允许这样的事情，他们说，你们不把结婚当作正事，因为婚姻是为了解决非法色欲的，并且自然的色欲刺激了婚姻的产生。但当人们为他们的堕落愿望找到一个更令人愉快的补救方法时，婚姻就被抛弃了。因此你们会看到无数的人不结婚，选择过浪荡不羁的单身生活，而不是受婚姻的限制。很多人也结婚结得较晚，那时候他们强盛的年纪已经过去了。

"而有的人结婚，只是把结婚当作交易而已，他们是为了寻求结盟、财产或者名声等各种各样的欲望。并且结婚已经不像它开始存在时候的那样男女之间相互忠诚了。他们卑劣地浪费了如此多的精力，同样地，他们也不会像个有道德的人一样尊重自己的孩子。所以在婚姻中，这样的事情在忍受之后能有改变吗？不，它们仍是婚姻的侮辱。最令人难以释怀的是那些流连在风月场所、沉迷女色的已婚男人并没有比单身汉受到更多的惩罚。善变的堕落风气、欣喜于俗艳的拥抱（在这里罪恶变成了艺术），使婚姻成为乏味的东西，一种强加的税收。他们听到你为这些事情辩解，因为这样可以避免像奸淫这样的更大的罪恶。但是他们说这是一种荒谬的自以为是的聪明，他们称它为'罗德的代价'，他们为了拯救他们的客人，把他们的女儿们提供给他人滥用。不，他们还说这样的办法没有一点好处，因为同样的恶习和需求仍然存在。非法的欲望像一个熔炉，如果你完全扑灭火焰，它就会熄灭；但如果你给它任何出口，它将会燃烧得越来越旺盛。至于男性之间的爱，他们是没有涉及的，但世界上没有地方有像这里那么忠实和不受侵犯的友谊。一般说来（就像我以前说的），我没有看到过任何像这里的人民这样贞洁的人。他们常说，凡是不贞洁的人就不能尊重自己；他们说，一个人对自己的敬畏、尊崇是仅次于宗教的克制恶习的方法。"

说到这里，这位犹太人停了下来。我是更愿意听他讲而不是自己说话的，但考虑到在他讲话停止的时候，我不应该完全沉默，那是不体面的，于是只好说，就像萨雷普塔的寡妇对以利亚说的话一样，他们的到来给我们带来了罪恶的记忆，我不能承认本撒勒的道德高于欧洲的道德。听我说完，他低下了头，然后继续说下去。

"他们也有许多关于婚姻的明智的和优秀的法律。他们不允许一夫多妻制。他们下令男女双方第一次见面的第一个月内不能结婚或订婚。父母的不同意不会造成婚姻的失效，但是他们会在继承上有一定损失。这样的不被承认的孩子们的婚姻在继承他们父母的遗产时不能超过三分之一。我读过你们中的一个人在一本书中写的一个故事，结婚的双方在他们订婚之前可以看对方的裸体。他们是不喜欢这样的，因为他们认为经过这么熟悉的了解之后，婚姻如果被拒绝了，将是一件极耻辱的事。但是由于男性和女性的身体有许多隐藏的缺陷，他们有一个更文明的方式。他们的每个城镇附近都有几个池子（他们叫亚当和夏娃之池），它允许男人的一个朋友，和女人的一个朋友，看他们各自的裸体沐浴。"

而当我们谈到这些的时候，来了一个穿着华丽的兜帽斗篷的像是使者的人，他和犹太人说了一些话。于是那犹太人转过来对我说："请你原谅我，因为我有些事必须马上离开。"第二天一早，他看起来非常快乐地来找我，说："本城的长官得到通知，'所罗门馆'的一位元老七天后要到这里来。我们已经有十几年没有看到过他了。他的到来是公开的，但他来的原因是保密的。我将为你和你的同伴找一个好地方去看他的入城仪式。"我感谢他,并告诉他听到这个消息我很高兴。

这一天元老进城来了,他是一个中等身高的中年人、长得很清秀,像是一个富有同情心的人。他穿着细黑布制的袍子,有宽大的袖子和斗篷。他的里衣是用极好的白色亚麻制成的,直垂到脚,腰间缠着同样的带子,脖子上还有相同材质的披肩。他的手套设计新奇并饰有宝石,鞋子是桃红色天鹅绒制成的,脖子到肩膀的部分都是裸露的。他的帽子像一顶头盔或西班牙的骑士帽,在下边露出他卷曲的棕色头发。他的胡子修剪得很圆,与他的头发是相同的颜色,只是略浅一些。他坐在一量华丽的没有轮子的车上,这车是由两匹披着蓝色绣花天鹅绒的马前后架起来的,两边有穿着同样服装的马夫。车上所有的部分都是用雪松制成的,并镀了金,饰有水晶。前端的面板中镶有蓝宝石,镶着金边,后面是翠绿色的玉石。在中间的顶部有一个金色的太阳,在前端的顶部还有一个黄金的张开翅膀的小天使。车上用的是蓝色的镶着金线的毯子。他的前面有五十个侍从,都是年轻的男子,穿着长至腿部的白色绸缎宽松外套和白色丝绸的长袜,蓝色丝绒的鞋子和有着不同颜色羽毛的天鹅绒帽子,像是乐队的圆帽一样。靠近车的地方有两个男人,不戴帽子,穿着垂到脚边的亚麻布衣服,系着带子,穿着蓝色天鹅绒的鞋。一个人拿着十字权杖,另一个拿着像牧羊的牧杖。两个都不是金属做的,权杖像是乳香木做的,牧杖像是雪松木做的。在元老车子的周围并没有骑士,似乎是为了避免所有的混乱和麻烦。在他的车后面跟着所有本城的官员和元首。元老一个人坐在丝绒的垫子上,脚下是各种不同颜色的美丽的丝绸地毯,比波斯毯还要精细许多。他举起他一只没有戴手套的手,像是在为人们祝福,但是没有说话。街道的秩序保持得很好,从来没有任何军队的人可以比站在两边的人站得更好。窗子里的人也同样不拥挤,但每个人都站在窗子前,就好像他们是被安排过的一样。

当这个游行过去后,犹太人对我说:"我不能按我的意愿来陪你了,因为本城派我去接待这位伟大的人物。"三天后犹太人再次来对我说:

"你们是幸福的人,因为'所罗门馆'的人知道你们在这里,吩咐我来告诉你们,他会接见你们所有的人,并和你们选出的一个人私下会谈。时间约定在后天,但为了给你们祝福,定在了上午。"

我们那天准时到了,我被我的同事推选去做私人会谈。我们在一个美丽的房间见到了他。房间的周围挂着华美的帘子,脚下铺着地毯,但宝座前没有任何的阶梯。他坐在一个较低的装饰得富丽的宝座上,头上是蓝色刺绣缎子的华盖。除了他两边的穿着白色衣服的侍从外,只有他一个人。他的里衣和我们那天在车上看到的一样,只是他没有穿长袍,而是穿着一件黑色的有披肩的斗篷,紧紧地系在他身上。我们进来的时候,按照我们被教导的那样,首先深深鞠了一个躬。而当我们走近他的椅子的时候,他站起来,伸出没有手套的手做出祝福的姿势。我们每一个人都弯下腰,吻了吻他披肩的下摆。这些做完之后,他们都走了,只留下我一个人。然后他命令侍从退出房间,让我坐在他旁边,用西班牙语对我说话。

"上帝保佑你,我的孩子,我将赐给你我所拥有的最大的财富。为了上帝和人们的爱,我将告诉你一些关于'所罗门馆'的真实的情况。孩子,为了使你知道'所罗门馆'的真实情况,我将按这个顺序告诉你。首先,我会告诉你这个机构的目的。其次,是我们的筹备和工具。再次,是我们的成员所担任的工作和任务。最后,是我们遵循的条例和仪式。

"我们的机构的目的是探索事物的根源和运行的秘密,扩大人类的知识领域,让所有的事情都变得可能。

"我们的筹备和工具是这样的:我们有几个又大又深邃的洞穴,最深的有六百英寻,它们中的一些是在大山中挖掘而成的,所以如果把山的高度和洞穴的深度加在一起,就有三英里深,因为我们发现山顶到地面和地面到洞里都是同样距离的。它们都是远离太阳和天上的光线,不暴露在阳光下的。这些洞穴我们称之为低层地区,我们用它们来凝固、坚硬、冷冻、保存所有的物体。我们同样也在那里仿造各种天然的矿物,用我们使用的材料和在那里多年的物质生产出新的人工金属材料。我们有时候也用它们来治疗一些疾病（这可能看起来很奇怪），但是让一些隐士住在那里，提供给他们必要的生活物品，他们就能活得更长久一些。由此我们学习到很多东西。

"我们也埋了一些不同的泥制品在土地里，就像中国人埋瓷器那样。但我们有更多的品种，其中一些更加精美。我们也有各种各样使土地肥沃的混合肥料的制作方法。

"我们有高楼，最高的大约有半英里高。其中一些建造在高山上，所以，将山和塔的高度加起来至少有三英里。我们称这种地方为高层地区，而高层地区与低层地区之间的就叫中层地区。我们根据这些塔的不同的高度和情况，用它们来暴晒、制冷、保存和观察气象，比如风、雨、雪、雹等较为激烈的气象。有的塔上住了隐士，我们有时候会去访问他们，告诉他们应该观察些什么。

"我们有两个大的咸水湖和淡水湖，我们在那里养鱼和家禽，也在那里埋藏一些自然物体，因为我们发现把东西埋在地下或有空气的地下跟把东西埋在水里是不一样的。我们还有池子，有的人从盐水中提取出淡水，有的人把淡水变为盐水。我们在海中也有一些岩石，在海边还有一些海湾，其中有一些工作是必须依靠大海中的空气和蒸气的。我们有同样的汹涌的溪流和瀑布，这为我们提供了很多的动力。同样地，我们还有各种机器来加强风力，让各种机器运转。

"我们也有大量的人工井和喷泉，是模仿自然的泉源和温泉做的。带有硫酸盐、硫黄、钢铁、铜、铅、硝石和其他矿物质。我们还有一些水井，能注入很多东西，那里的水比管子和盆子里的水有更快更好的效果。我们把其中一口我们做的井称为'天堂之水'，因为它有延年益寿的作用。

"我们还有宏伟宽敞的建筑，我们在那里模仿和演示各种气象，如雪、冰雹、雨（一些人造的雨并不是水）、雷、电等。还有各种物体在空气中的产生,如青蛙、苍蝇和其他一些东西。

"我们还有一些会所,称之为'健康会所'。我们可以调节那里的空气,那有利于治疗各种疾病和保持健康。

"我们还有美丽宽敞的大浴场,水里有几种混合物,可以治愈疾病,让人的身体从疲劳中恢复。还有一些其他的东西可以增强人们的体力,并且保养人体中最重要的部分。

"我们还有各种大果园和大花园。我们不是特别注重风景的优美,而是注重土壤的肥沃,看是不是适合树木和花草的生长。除了葡萄园,还有一些非常宽敞的浆果和各种果树的树林,这些果子可以用来酿制不同的酒。我们试着对这些不同的果树做了各种嫁接,并且产生了许多好的效果。此外我们应用了各种技术在果园和花园里,让树木和鲜花的花期比它们的自然花期提早或推迟,且比它们自然的时期更快地结出果来。我们还通过技术让它们生长出比它们自然结出的更大更甜的果实,有不同的味道、气味、颜色、样子。并且我们还把其中的许多部分拿来制成可供药用的东西。

"我们还可以在不同的混合土地中种植出植物,而不需要种子。同样也能种植出新奇的不寻常的新植物,让一种树或植物变成另一种。

"我们还有着各种动物和鸟类的公园,我们不仅是在观赏这些稀有的动物,同样也做解剖和试验,从而把这些东西应用到人的身体上来。其中我们发现了很多惊人的效果。尽管身体上至关重要的部分已经死了或取了出来,但是仍然可以;或者还有一些看起来已经死了的,也能让其复苏。我们还在这些动物身上尝试各种的毒药和其他药物,不管是内用还是外用的。还可以通过技术让它们生长得高于同类,或者让它们停止生长。我们也让它们有更强的繁殖力,或者相反地,没有繁殖力。我们也能让它们的颜色、形状、活动等许多方面与原来有所不同。我们还找到了方法让不同种类的鸟兽杂交,结果不像普通人的观点那样不能生育,它们制造出了新的品种。我们让腐败物中长出许多种类的蠕虫、苍蝇、鱼类，有些则长出了先进的像野兽或鸟一样的完美的生物，有性别而且能繁殖。我们也不是靠偶然的机会才成功的，而是我们事先知道应该混合怎样的生物才能出现新的物种。

"我们还有特殊的池子，正如我们之前说的野兽和鸟类一样，我们在那里做鱼类的试验。

"我们也在某些地方养殖有特殊用处的昆虫，如蚕和蜜蜂。

"我不会长时间地详细地给你讲述我们的酿酒屋、烤房和厨房，在那里我们制造出各种特别的酒、面包、肉。酒类中我们有葡萄酒、果汁酒、谷物酒、药酒，和混合着蜂蜜、糖、甘露、水果干熬制的酒，还有树汁和甘露酿的酒。这些酒都是保存了几百年的，有一些是近四十年的。我们有一些酒是用草药、草根、香料酿造的，还有一些是用肉类酿成的。所以实际上，有的酒又是肉又是酒，尤其是上了年纪的老人最喜欢它们了，他们很少或根本不吃肉和面包。最重要的是，我们努力把酒酿得非常温和，让它能慢慢扩散到全身，而不是辛辣尖锐，令人烦躁。有的酒滴在手背上一会儿就会暖至手心，但是喝进嘴里却是非常温和的。我们还酿造一些现在非常流行的有营养的酒。它们确实是非常好的一种酒，许多人都只喝这个。面包里有几种谷物、根和谷粒，还有一些干的肉和鱼，用了几种不同的发酵剂和调味料。所以一些面包不但能吊起你的食欲，还非常有营养，只吃这些面包而不吃其他任何的肉类就能长寿。所以对于肉类，我们经常把它们打得很碎，把它们做得软又嫩而又不会变质，这样胃不好的人就可以很好地消化了。对于消化力好的人，我们准备了另外一种肉，我们有一些肉、面包和饮料，在吃了之后能够保持很长的时间不饿，还有一些肉可以使人们的身体比他们原来更加坚韧结实。

"我们也有药房和药店，其中你可能很容易认为，如果我们有超过你们欧洲的各种各样的植物和生物（因为我们知道你们所拥有的），那么我们必定也同样拥有很多的药物和药品了。我们有浸泡了不同时间的药品，为了配制这样的药品，我们不仅用各种各样的蒸馏和分离，尤其是加温和用过滤器渗滤，还最准确地配药，让制成的药物和天然的一样。

"我们还有几种你们没有的制造技术。我们制造的纸、亚麻、丝绸、纱巾等拥有美妙的光泽的美丽羽毛产品，以及优质的染料和其他的物品。同样，商家制造这些东西有的是给平民大众用的，有得则不是。你必须知道我们之前所说的那些东西，很多都已经在全国使用了。但是，如果他们有了一些新的创造，确实源于我们的发明的，也可以作为样式和模版。

"我们也有各种各样的熔炉，用以保持各种不同的热度。凶猛而迅速的，强烈而持久的，温柔而温和的；吹气的、安静的、干燥的、潮湿的等。但最重要的是，我们模仿太阳和天体的加热，通过几种不同的不等量、轨道、发展、返回，产生令人称赞的效果。此外，我们有粪的热，肠胃和其他生物的热，以及像草木发酵和石灰之类产生的热，还有通过运转能产生热量的仪器。我们甚至还有一些能暴晒的场地，还有地下的天然的，或者通过技术制造的能产生热的地方。我们用这些不同的热作为我们想要运转的一些东西所需的力量。

"我们还有光学试验馆，我们在那里做所有光线和辐射的示范。我们把没有颜色和透明的东西变成有颜色的，不像宝石和棱镜的那种彩虹光，而是单一的颜色。我们还可以增强光的明暗度，让它照得很远，能够看见很细小的东西。我们能让所有的光有不同的颜色，在外表、大小、运动、颜色等方面产生视觉上的假象。我们还做各种影子的试验。我们也找到了你们所不知道的不同的让物体发光的方法。我们还有方法可以看到天上的和其他极远地方的东西，能够把近处的东西看得像远处，把远处的东西看得像近处一样，造成假象的距离。我们还可以用远高于眼镜和镜片的使用的方法来帮助视物。我们还有镜片和手段可以清晰地看到微小的物体，以及小苍蝇和昆虫的形状和颜色、谷物和玉石上的瑕疵，这些都是用别的方法看不到的。另外，别的方法不能观察到的尿和血液。我们能人造彩虹、光环和光晕。我们能让所有能看到的物体产生反射、折射和加强明暗。

"我们还有各种各样的宝石，其中有许多都是非常美丽的，并且是你们没见过的，同样还有不同类型的晶体和玻璃，除了你们做玻璃的东西外，还有一些其他的变成玻璃的金属和其他材料。同时还有大量的你们没有的化石和半矿物质。还有吸力惊人的磁石和其他罕见的无论是天然还是人造的石头。

"我们还有音乐馆，在那里我们练习和演示各种声音。我们有你们所没有的和声、四分音和滑音，还有各种各样你们不知道的乐器，有一些比你们的乐器更加悦耳，铃声也更优雅动人。我们能让小声音变得大且深邃，也能使宏伟的声音变得微弱。我们能在原调的基础上发出颤音和震音。我们能表演和模仿所有语言和飞禽走兽的声音。我们还有放置在耳边的帮助听力的助听器。我们还有不同的奇怪的人造回声，能把声音多次反射，就像在颠簸一样。并且有一些回音比它原来的声音更尖锐，更有深度。有的则呈现了与原来的发音不同的声音。我们还有方法在管道中把声音传到不同的地方和距离。

"我们还有芳香馆，我们也在那里练习品尝味道。我们增加了似乎有点奇怪的一些味道。我们模仿香味，让所有的香味闻起来都像是它们原来那种没有混合前的香味。我们同样能制造出各样的美味，任何尝过的人都会被骗。在这个馆里还包含有糕点房，用来做各式各样的干湿的甜品、葡萄酒、牛奶、汤、青菜等，比你们的种类要多得多。

"我们还有机器馆，在那里为各种各样的动力准备了机器和仪器。我们模仿和试验出了运作比你们任何的枪和机器更快的机器。通过滑轮的方式让它们操作更简单，阻力更小。并且使它们比你们的机器更强力和暴力，威力比你们的加农炮和蛇炮更大。我们还制造各种军械和战争用的武器，同样用新的混合物制造火药，还有能在水中燃烧的野生火，也有用来娱乐和使用的各种火。我们模仿鸟类的飞行并且有了一些能在空中飞行的方法。我们还有潜在水里的船，并且能够承受海浪。我们还有游泳带和救生圈。我们有各种的稀奇的中标，永不停止运动的机械。我们还在外表上模仿生物的行动，比如人、兽、鸟、鱼和蛇。我们还有许多各种各样的机器，制造得非常匀称、精致、微妙。

"我们还有一个数学馆，那里有所有制作得相当精巧的几何学和天文学的仪器。

"我们还有欺骗人们感官的馆。我们在那里表演各种各样的魔术、幻影、假象、幻想，并揭露秘密所在。你肯定会很容易相信，我们有这么多让人惊讶的东西，如果我们掩饰这些事情的真相，就会使这些事情看起来更加像奇迹。但我们确实是厌恶所有的欺骗和谎言的，因此我们严厉禁止我们的人做那些事，不然会受到侮辱和罚款之苦。所以他们不会炫耀任何自然的工作和事情，加以修饰或夸大，而只会实话实说，没有任何的假装和奇怪的地方。

"我的孩子，这些就是'所罗门馆'的财富。

"至于我们的工作和职务，我们有十二个人以其他国家的名义（因为我们要隐藏我们自己的国家）坐船到国外去，给我们带回书籍和艺术品，还有其他部分的模仿的试验。这些人我们称之为'光之商人'。

"我们有三个人收集书籍中所有的试验。这些人我们称之为'掠夺者'。

"我们有三个人收集所有机械技术的试验、自由科学的试验，还有不属于技术类的试验。这些人我们称之为'神秘人'。

"我们有三个人尝试他们自己认为好的新的实验，这些人我们称之为'先驱者'或'矿工'。

"我们有三个人把上面所说的试验制成图标，这样可以更好地观察出定理。这些人我们称之为'汇编者'。

"我们有三个观察他们同伴试验的人，从事挑选出对人的生命和实验有用的知识，以及能清楚说明事物的缘由和未来的发展的方法，并且能容易且清楚地发现人体和其他方面的美德，这些人我们称之为'保障人'或'捐助人'。

"然后我们还有许多的各样的会议，来研究我们之前的工作和收集到的东西。我们有三个人挑选出的人来指导新的比之前的自然中更高深、更敏锐的试验。这些人我们称之为'明灯'。

"我们还有另外三个人执行所有的实验，并给出报告。这些人我们称之为'接种者'。

"最后，我们还有三个人通过之前的实验将之提高为更好的观察、公理和格言。这些人我们称之为'自然的解说员'。

"如你们所想到的，我们还有许多新手和学徒，这样才有了连续不断的工作者。此外，还有许多的男女仆人和侍从。我们还这样做：我们会讨论我们的发明和我们所发现的经验哪些要公布，哪些不能公布。并且都宣誓保密，因为有些东西我们认为应当保密。然而有的事我们会向国家报告，有的则不会。

"关于我们的法令和仪式：我们有两个非常长而且美丽的长廊，其中一个里面有我们各种各样的罕见的和优秀的发明的模型和样品，另外一个里面有所有主要发明家的雕像。我们那里的雕像有你们发现西印度群岛的哥伦布，还有轮船发明者，发明军械和火药的僧人，音乐的发明者，文字的发明者，印刷术的发明者，天文学的发明者，金属制品的发明者，玻璃的发明者，丝绸的发明者，酒的发明者，玉米和面包的发明者，糖的发明者，关于所有的这些人的传说我们知道得比你们更多。我们还有许多我们自己的有出色成就的发明家。因为你还没有看到过，所以要描述起来会太长。此外，在这些描述中正确的理解也很容易使你犯错，因为每一个有价值的发明家，我们都会给他立一个雕像，并且给予他大方且高尚的报酬。

这些雕像有的是黄铜做的，有些是大理石和各种碧玉做的，有的是用雪松和其他特殊的木头装饰的，有的是铁的，有的是银的，还有一些是金的。

"我们当然还有圣歌和礼拜仪式。我们每天都感谢上帝和他奇妙的工作。我们还有各种形式的祈祷文，恳求上帝能够帮助和祝福我们劳动的辉煌，把它们变为美好神圣的用途。

"最后，我们要巡回访问这个国家的几个主要城市，在那里我们要公布我们认为好的、新的和有益的发明。我们也会预告自然灾害，如疾病、瘟疫、虫灾、饥荒、风暴、地震、洪水、彗星，还会预告一年的温度和一些其他的事。我们还会基于这些事给他们建议，人们应该怎样做来预防和补救。"

说到这里他站了起来，我也按照别人教我的那样跪下来，他把右手按在我的头上，说："上帝保佑你，我的孩子，上帝也会保佑我所做的这场会谈。为了其他国家的利益，我允许你公开今天的谈话，因为我们这片未知的土地是在上帝的胸怀中。"然后他就离开了，并且赏赐了我们价值大约两千达克特（此处翻译无误——"达克特"为欧洲古币名）的赏金，因为他们随时都给予得非常慷慨。

（剩余的部分并没有写完。）

出版自由
Areopagition

〔英〕弥尔顿 著

主编序言

弥尔顿出版"自由的演讲",其名字是模仿雅典演说家伊索克拉底（公元前436—前338年）"法官的理念",这也是想要被理解而不是仅仅闻知的演讲。伊索克拉底演讲的目的在于通过恢复最高法院重建雅典原来的民主政治,因此弥尔顿的作品源于这个题目。

英国国教权势占支配地位期间,国教的工具——专断的皇室法庭重新制定了比以前更加苛刻的限制条件:在伊丽莎白统治期间,限制书籍出版。这些限制条件直到1641年随着皇室法庭的废除才消失,但是不久后长期议会中大多数长老会的教徒通过决议,决议意图在于使他们能够压制敌对者的政治和宗教观点的出版物发表。终于,1643年6月决议重现,激起了弥尔顿的抗议,次年发表了著名的未经许可出版的请求。就演讲本身可以看出,弥尔顿诚挚地承认议会为自由事业所作的贡献,尽全力调和议会,他力图劝说议会改变行动,指出议会这样做与他们所作的贡献是矛盾的。但是这似乎没有产生任何即刻效果。然而克伦威尔带领下的独立派处于有利地位，许可法却没有严格地执行；但是王政复辟使皇室法庭法令的很多条款再次被制定。在之后几年里被更新了几次后，这些条款于1694年失效了，随后重建的努力都不成功。

而弥尔顿小册子的价值却不能以对政治局势的影响而定，政治局势的影响只是最接近的必然性。弥尔顿对自由的热衷是生命最主要的激情，他考虑的远远不止紧急的政治活动；《论出版自由》凭借呼吁基本原则，在他的散文作品中具有重要地位。

查尔斯·艾略特

长期议会法令

　　位列议会最高法院的先生们能够向联邦国家和统治者直接进言，但那些平民或没有这种机会的人只能著述有利于发展社会事业的先见。我想他们开始这些著述时都历尽艰辛，内心思想上的改变和感动都是相当大的：有些人怀疑能否成功，另外还有些人担心受到责难，也有人心怀希望，有人对他们所表明的观点充满信心。至于我呢，因为过去我在书中提出了不同的主题，这些心情在平时对我也产生了各种影响，前言中免不了有些措辞尖刻。在写出这篇演讲词，同时呼吁更多人改变想法时，我的内心获得力量，产生了热情。这种热情比序言所能引起的情感更让人欣喜。虽然之前我一直不承认那些，但如果我的热情能给渴望自由并设法促进国家自由的人带来快乐和喜悦，也是无可非议的；关于所提出的演讲的全文，即使不是感情的胜利，也算是感情的证明。我们能希望的自由，并不是英联邦的抱怨绝迹，世界各国的人也不能指望这样的自由；我们所希望的只是开明者能够听取人们的抱怨，精心考虑后及时改革，解决问题，这样人们才能获得贤者们希望的公民自由最大化。如果现在我能冒昧陈词，那么我们就获得很大的自由了，摆脱植根于我们原则的专制与迷信的不合理缺陷，甚至比罗马光复的辉煌更宏大。这首先归于，最主要是由于我们的救世主上帝的强力帮助，其次归于忠于英国的上议院和下议院议员的领导，议员们无所畏惧的智慧。既然善良的人和杰出的地方官论，以及光荣事迹不会让上帝认为减少了他的荣耀；你们所做的光荣事迹在不断进步，你们长期不屈不挠的美德已经施恩于整个国家，如果现在我才开始论述这些事迹，那我在这些称颂者中理所当然会被认为是最迟缓、最被动的人。不过若不具有这三种重要条件，一切溢美之词不过就是奉承谄媚：首先，只有真正值得称赞的时候才能称赞；其次，尽最大的可能证实被称赞的人确实存在被称赞的能力；再次，著述的人必须表明他的观点是真实的，能够证明他没有奉承。前两条我已经尝试做到了，有人用无关轻重的琐屑之事和恶意的赞美四处损害人们的功绩，我从这些赞扬的工作中把受害者解救出来。最后这条主要属于我自己的职责，我对所赞颂的人从未奉承过，我一直保留到这个恰当的时机才做出说明。对于所做的事夸大得如此高尚，不害怕宣称自己还能做得更好的人，向你发誓保证忠诚；行动源自忠实的感情和希望。人们高度地称赞并不是谄媚，朴实的忠告也是一种赞美；如果我能证实并坚持我的观点，议员能够下令收回公布的决议，将有利于真理、学术和联邦的进步，同时能提高政府温和而公平的美誉。由此平民也会受鼓舞，认为统治者更乐于接受公众的忠告，而以前的统治者只满足于奉承。人们也会看到议会的宽宏大量与以往的议会的不同，过去篡权的主教和内阁枢密大臣所表现出的只有猜忌和傲慢，当人们看到以往别的政府除了浮华排场之外，没有留下任何值得记忆的事，如果人们对提出的临时议案表示任何不满，他们便不能忍受了。而你们能在胜利和成功之中容许人们著述发表意见。上、下议院的先生们，如果我能仰仗你们的谦逊文雅，伟大而文明，对你们所发表的明令规定的决议提出反对意见的话，即使有人谴责我特意标新立异或者傲慢无礼，我也能为自己辩解，只要他们了解到，我感到议员尊崇古希腊绝等的仁慈胜过粗野的匈奴和傲慢的挪威。我们庆幸我们不是哥特族人和朱特族人，能够从遥远的年代说出一个人的名字，他聪明过人，在自己家中写信给雅典国会论述，劝说议员改变当时已经存在的民主制度形式。那时无论在本国还是在其他地域，人们都崇敬公开研究学问和雄辩术的人。各个城市及市政议会都乐于听闻这些意见，并且对那些在公共场合给国家提出的告诫给予高度的重视。就如狄恩·普鲁斯本是外国的平民雄辩家，他劝说罗得岛人反对一条旧法令。像这样的例子不胜枚举，在此也没有必要一一列举。我勤劳的一生全部奉献于辛勤的努力，所幸天资未因出生于北纬52度就受到减损，虽然我认为自己比不上那些享有特权的人，但是我会证明自己不是你们所想的那样低劣，而你们却远远比不上当时绝大多数接受意见的议员。你们能胜过他们多少呢？上、下议员的先生们，最大的证明就是保证深谋远虑的精神，保证无论何时何地都听取并顺应理智的声音，心甘情愿地执行，废除一切法令，不论是你们自己颁布的，还是前任公布的都一律撤销。

如果诸位都下定决心（谁要认为你们还未下定决心就是在伤害你们），那么，没有什么能阻止我向你们提交一个恰当的建议，以此表明诸位著称的对真理的热爱和不偏不倚的正直的判断。希望各位重新审视颁布的《出版管制法》的法令：从今以后，书籍、小册子、文章，除非内容经过主管机关审核得到许可，或者至少经过一位主管人指定认可，才能出版。我不会提到正当保护公民的版权，或者向穷人提供帮助的规定，只希望这不会成为虐待及迫害正直的人的借口，他们没有违反任何规定却无辜受到伤害。关于书籍出版许可的其他条款，我本以为教士期满时会随着大斋戒和婚姻有关的条例而消失，现在我也该注意这样的训诫，向各位说明，首先法令的创造者是你们不愿意承认的人；其次无论是哪类书，阅读时该考虑哪些普遍问题；再次此法令本来是压制流言蜚语、煽动性言论和含有诋毁内容的书籍的，但却毫无益处；最后，此法令会极大地阻碍学问、真理的发展，因为不使用我们现在已经掌握的能力，我们就会变愚钝；同时宗教和民间学术本可以得到更多的发现却受到阻碍。

不可否认，教堂和英联邦都最想要足够警戒，能够看出书和人都是如何贬低他们的；然后像对待罪犯一样，监禁、关押、行使最严厉的制裁：因为书籍绝不完全是死的东西，而确实包含生命的效力，这是作者的成果，和作者的灵魂一样活跃；它们不仅像药水瓶一样保持了最纯粹的功效，而且能从中取出产生书籍的活跃的精华。我知道它们非常活跃，具有强大的繁殖力，就像寓言中的龙齿；当它们被散播四处后，就会生长出武士。另外如果没有合适地利用谨慎，误禁好书就如误杀好人；杀人只是杀掉了一个理性的动物，毁掉了上帝之像；禁书却是禁掉了理性本身，毁掉的是瞳仁中的上帝圣像。许多人为了全人类承担责任；一本好书是名师珍贵的心血，为了死后还能铭记，珍藏于人们心中。确实，任何时代都不能使死者复生，书写下来可以减少重大的损失；各个时代的革命都不能弥补排斥真理所造成的损失，因为缺失真理，整个世界的情况都会变糟。因此我们应该更加谨慎，我们迫害公众富于生命力的事，毁掉书中积累保存的阅历丰富的人生，将会引起人们的骚乱；既然我们能看到这样就犯了杀人罪，甚至杀死的是一位殉道者，如果扩大到整个出版界，就好比大屠杀，在这样的大屠杀中，杀死的不仅是尘世的生命，同时也杀害了精英和第五元素——理性本身，是杀死了永生的神灵，而不是杀死了凡间的人。当我在反对出版许可制时，我担心因为介绍许可制而受到谴责。我将努力用历史来说明历史上著名的国家是如何制止出版混乱的，追溯到许可制是如何由宗教法庭发展来的，如何被主教抓住，又是如何使长老会的长老们也卷入进来的。雅典书籍和学术比希腊任何的地方都盛行，但是我发现地方法官只注意两种著作，一种是亵渎神明或宣扬无神论者，另一种是诽谤、污蔑。因此，普罗塔哥拉由于在演讲的开头就坦白说："我不知道是否存在上帝。"他的书被法官阿留坡阁下令焚烧，他也被驱逐出境。对于禁止诽谤，法令规定不得像"旧喜剧集"那样点名诽谤任何人，以此我们可以料想他们是如何谴责诽谤的。正如西塞罗所写：事实证明，这样足以迅速地消除无神论者不顾一切的思想和公开的诽谤。对于其他宗派和观点，即使有骄奢淫逸的倾向或者否认神的天意，他们也不会在意。因此，我们从未看到伊壁鸠鲁的学说、西勒尼学派的放浪不羁的思想，或者犬儒派狂妄无耻的言行受到法律的审问。虽然禁止"旧喜剧派作家"的作品上演，但是没有记载说禁止他们写剧。众所周知，柏拉图向他的王室学者代奥尼苏推荐阅读旧喜剧作家中最放任的阿里斯托芬的作品，这也能理解，据说神圣的金口若望每夜都要研读很多阿里斯托芬的作品，他具有技巧能够把极度卑鄙恶劣的话净化成激励人的训诫。希腊另一个主要城市拉西第蒙的立法者莱克格斯非常崇尚高雅的学术，他首先在爱奥尼亚搜集荷马的散篇作品，将诗人泰利斯从克里特岛请来，用他优雅的歌集和颂歌缓和了斯巴达人的粗野，制定礼法，斯巴达人如此缺少诗书礼乐之礼，仍然如此野蛮，让人感到很惊讶。他们除了崇尚战争，其他什么也不管，根本就不需要书籍出版许可制，除了他们自己简短的警句，不喜欢其他的一切东西。他们找了一个很小的理由就把阿奇洛科斯赶出城邦，也许就是因为他写的东西与斯巴达人英勇的歌谣和回旋诗相差很大；如果这是因为他直言不讳的诗篇，人们对诗歌也没有太过警惕，但是他们在混乱的交谈中也很放荡，由此欧里庇德斯在"安德罗蒙奇"中说：女人都是不贞洁的。这样我们就能看出希腊所禁的书都是哪类书。罗马人的情况也和拉西第蒙十分相似，很多年来培养了战争的粗暴，对学术知之甚少，他们所知道的只有罗马法典、大祭司团的占星术以及祭司教给他们的宗教和法律，因此对其他的学问根本不了解。当卡尼底斯和克里特拉斯与斯多葛学派的代奥古尼出使罗马时，趁这个场合给罗马展示了他们的哲学，就连检察员加图这样的人都怀疑他们是煽动者，他把情况转告到元老院，驱赶他们迅速离开，把全部在阿提喀胡说之人驱逐出意大利。但是西庇阿和其他一些高贵的元老院议员制止了他和他的那种萨宾人的严厉；对这些人授予荣誉与赞美；而最后检查员年老时竟研究起以前他如此顾虑的哲学。同时，拉丁最早的两位喜剧家涅维优斯和普劳图斯，也使这个城市充满了从米南德和腓利门借来的场景。后来他们开始考虑如何对付诽谤性的书籍和作者；涅维优斯因为笔调过激很快就被关入监狱，直到他改变论调，收回原来的作品，护民官才把他释放了。我们在书中也读到了奥古斯都焚烧毁谤性的书籍，惩治这些作者。如果有人敢写对他们尊敬的诸神不敬的书籍，毫无疑问他们会更加严厉。但除去这两点外，地方法官对书籍中描写的任何事情都不在意。因此卢克莱茨用诗的体裁把伊壁鸠鲁学说改写给执政官曼米阿斯也能免受责罚，后来又光荣地被伟大的罗马国父西塞罗再次阐述；虽然西塞罗在他的著作中反对伊壁鸠鲁的观点。路西里阿斯、卡特鲁斯、法拉科斯虽然说过尖刻而露骨的讥讽言辞，却没有任何法令禁止他们。在国事方面，提图斯·李维虽然在他的史书中赞颂庞培，但敌党的屋大维·恺撒并没有限制他的书。纳庄老年时却因年轻时所作的淫荡诗歌被屋大维放逐，但是这只不过是掩饰国家秘密的借口：而且，书籍并没有被收回，也没有被废止。从那以后，除了罗马帝国的暴政外，我们再也见不到其他的了。我们看到所禁的好书比坏书多，也不会对此感到惊奇。我认为关于古人出版哪类书会受到惩罚的问题，我已经说得足够多了，剩下的是大家都能随便谈论的话题。

当君主变成基督教徒后，对出版限制令的实施没有比以前更加严格。他们认为是重要的异教徒的书就该进行检查、驳斥，并在大公会议上加以责难；直到那时书也未被帝王当局禁止，或者焚烧。对于异教徒的作品，除非像波菲利阿斯和普罗克卢斯那样公开谩骂基督教，也没有任何禁令可以禁止他们。直到公元400年左右，迦太基宗教会议上主教们被禁止阅读非犹太人的书籍，但是异端邪说可以读：然而在很久以前，其他人却相反地对异端邪说比对非犹太人的书籍更加忌讳。早期宗教会议和主教们只习惯于宣布哪种书籍不值得推荐或流通；但是读与不读只凭人们的良心，直到公元800年后，特令托宗教会议上伟大的揭露者保罗神父才讨论了禁书的问题。从那以后，罗马教皇把他们所满足的政治统治垄断于自己手中，把他们的统治权延伸到遮住人们的眼睛，就如从前控制人们的判断一样，禁止他们不喜欢的书籍，并焚烧掉；然而他们的谴责还是很宽恕的，像这样处理的书籍并不多：直到马丁五世写了荒诞可笑的废话才下令，不仅禁止阅读异教书籍，也首次因为阅读异教书籍把他逐出教会。教皇法庭之所以发布更为严厉的禁止政令，是由于威克里夫和胡斯的书使人震惊。教皇利奥十世和继承者也继承这条法令，直到特令托宗教会议和西班牙宗教法庭相互引证，完善目录，删改以前所搜集的许多优秀出版者作品内容的索引，这样的侵害比任何人在他们的坟墓上所能做的侵害更严重。他们反对异端邪说，反对任何不符合他们口味的东西，他们不是发布禁令谴责，就是坚持对索引进行新一轮的清除。为了使他们的侵害手段更加严密，他们竟然提出规定一切书籍、小册子，或者文章，未经两三个贪婪的修道士的许可批准就不得出版，好像圣彼得把天堂里管出版的钥匙也交给了他们。例如：

兹命令法官奇尼审查本书有无不可出版之处。

佛罗伦萨区　副主教文森特·拉巴塔

此书已审阅，未发现有违天主教信仰和规矩之处，特此证明。

佛罗伦萨区　法官尼河罗·奇尼

根据上述证明，达文扎提的此书准许出版。

文森特·拉巴塔等

准予付印，7月15日。

佛罗伦萨宗教法庭法官修道士西蒙·芒具，达美尼亚

他们肯定有种想法，如果陷入无底深渊中的人没有及早越狱逃跑，那么这四道符咒会把他关在下面。我担心他们将会计划实行克劳迪斯原本打算实行但却没有实行的出版许可令。一起来看看另一种形式——罗马的戳记：

如果圣殿主教批准，即准予出版。

副摄政，贝尔卡斯特罗

准予出版。

圣殿主教，修道士 尼河罗·罗道菲

有时在一篇标题页就能看到五条出版许可令，一唱一和地写在上面，就像几个秃头僧侣相互恭维点头致敬一样。作者就只能困惑地站在旁边，不论申请书是同意付印还是退回销毁。就是这些优美的答谢圣歌吸引人的应答轮唱，最近，用它们悦耳的回声把高级教士及牧师迷住了；他们不顾后果地仿效制定了气派十足的出版禁止令，却使我们困惑不已。其中一种来自兰贝斯宫，另一种是由圣·保罗教堂西边出来的。这一切都是愚蠢地照抄罗马，即使是命令也仍然以拉丁文写下，就好像写这命令的那支渊博而讲究文采的笔，落笔就只能是拉丁文一样；或许他们认为，任何庸俗的本国语言都配不上表达出版许可令这样纯粹高贵的思想，不过关于人类的语言，说英语的民族在获取自由的成就上都是极其领先的。我倒希望是因为他们在英语中找不到如此卑屈的文字来写出这样独断专横的禁令，所以才用拉丁文。以上就是对书籍出版许可令的制定者和来源向各位做的详尽的陈述，就如世袭家谱一样条理井然地指出了来龙去脉。这些出版许可令在过去任何国家、政体、教派中都未曾听说过，我们的祖先也从未留下任何这样的法令，这可算是前无古人，后无来者的做法；任何经过宗教改革的城市或者外国教派的现代习俗中都没有这样的规定。这是从最反基督教的宗教会议和最残暴专横的宗教法庭产生的。曾经书籍就如其他生命一样，能够自由地进入这个世界；扼杀头脑的产物不比扼杀生命更仁慈。再也没有嫉妒的朱诺盘腿坐着诅咒人类智力的生长；假如生出魔鬼，谁又能说不该公正地将它烧死或者沉入大海呢？但是一本书在出现在这个世界上之前，要比罪恶的灵魂更被动地站在法官面前受审，它想乘渡船回到光明，就要在黑暗阴森的地狱受到法官拉达曼提斯一伙儿人的审判，这样的事是前所未闻的。直到神秘而邪恶的罗马教廷因为宗教改革而焦急激怒，寻求到新的地狱边境和地狱，这样可以把我们的书籍归入应遭天谴之列。我国想过宗教法庭瘾的主教们，和他们随从的一些牧师们拙劣地仿效，想要强行抓住稀少之珍。

想出制定出版许可令的人就是这些人。一切邪恶的计谋都是各位很难想象得到的，当有人请求各位通过法令时，凡是知道各位行为是如何正直并知道各位对真理的崇敬的人，可以很容易地证明。

也有人会说：制定者虽坏，但如果法令本身是好的又有什么不可以呢？也许会这样。但是如果不把事情说成这样一个奥妙的发明，而用人人都能明白的方式说出来；古往今来伟大而精明的联邦国家都不采用它，只有那些极端虚假的怂恿者和人类的迫害者才会同意接受这样的法令，除了破坏和阻碍宗教改革的来临外，他们没有其他的目的。我赞成某些人的说法，认为这是需要更努力的魔法，甚至刘利阿斯也不知道如何从这种发明中提炼出好东西来。从以上理由便可知道，我要求各位以看待危险和可疑果实的眼光来看待这样的问题。确实，从结出这样的果实的树来看，它是理应如此的。直到现在，我也只能通过它所有的属性仔细分析。首先要提出的该解决的问题是：无论是何种书籍，对于阅读问题通常该采取什么看法？阅读的利弊问题如何衡量？

摩西、丹尼尔和保罗对埃及、迦勒底和希腊的学术都非常精通。如果没有阅读他们各个种类的书籍就不可能了解他们。尤其是保罗，他认为在《圣经》中插入希腊三位诗人的句子是绝对无害的，这三位诗人中还有一位是悲剧家。如果我们不坚持引用他们的事例，那也应该知道这个问题在原始基督教的圣师中有时还是会引起争议的。但是主张阅读既合法又有益的人还是占绝大多数的。当基督教信仰的最阴险的敌人——叛教者朱利安下令禁止基督教徒研习异教学术时，就很清楚地认识到了。他说："因为他们将用我们的武器伤害我们，用我们的艺术和科技战胜我们。"果然，基督教徒因为这个阴险的法令被迫发生了很大的改变，陷入了愚昧无知的困境。所以阿波林纳利、阿斯父子如人们所说的那样从《圣经》中创造了七大学科，使之成为不同的形式，包括演说、诗歌、对话体，还拟定审慎的新基督教文法。但历史学家苏格拉底说："上帝的安排比阿波林纳利、阿斯父子的辛勤劳动更加高明。因为他把破坏学术的法律和制定这法律的人的性命夺去了。"由此来看，他们认为禁止学习希腊学术是一个极大的损失，并认为这种迫害比代克优斯和代奥克利兴公开的残害更具伤害，更能秘密地削弱教会。圣·杰罗姆在大斋节期间梦到了因为阅读西塞罗的作品被魔鬼鞭打，这应该是相同的精明的驱使。否则就是因为那时他患了热病带来幻觉。如果是天使惩罚他，就是责罚他对西塞罗主义研究太多了，责罚他的阅读方式不对，而不是责罚他读了没用的东西；告诫他不要读严肃的西塞罗的作品，而读粗俗下流的普劳图斯的作品并不受罚，他坦言不久前才读了；其次，受罚的只有他一个人，而古代其他的神父在老年时都拿这些绚丽轻松的作品消遣，却不受到折磨人的幽灵的鞭打；如此说来，巴兹尔就曾教人们如何好好利用荷马所著的消遣诗歌"玛吉提斯"（现已失存）。意大利的浪漫传奇"摩甘提"为什么就不能同样加以利用呢？纵使同意我们在幻想中受审，但欧西比阿斯所记载的幻想比杰罗姆为修女欧斯托兴所讲的故事更久远，而且他还没有患热病。公元240年，教会中以虔诚和博学著称的代奥尼苏·亚历山大尼权斯，就惯常以精通异教的书籍来反对异教。后来有个长老指摘他的良心，何以竟敢看这样的亵渎的书籍。这位高尚的人不愿意冒犯他，内心陷入矛盾的想法中。他在一封书信上说，忽然间上帝赐给了他一种幻想，说了几句使他安心的话：读一切到你手里的书，因为你足够聪明，能够正确地判断，也能够探讨每一件事件。对于这个启示，他很愿意接受。因为这更符合"帖撒罗尼迦书"上说的："凡事察验，善美的要持守。"他还可以提出帖撒罗尼迦另一句深入人心的话："对于纯洁的人来说，一切都是纯洁的。"不但吃肉喝酒是这样，连一切好的或者坏的学问都是这样。只要意识和道德纯洁，知识是不能使人腐化的，书籍也是不可能使人受腐化影响的。因为书籍就如酒和肉一样，有些主旨是好的，有些是坏的。上帝在不可置疑的幻想中始终会说："彼得，起来，宰来吃了。"至于选择问题就留给个人判断了。对坏的胃口来说，好的肉和坏的肉都没有差别；最好的书籍对于邪恶的人来说也并非不能用于做邪恶的事。坏肉即使用最合卫生的调制法也不能产生好的营养，但是坏的书籍在这方面却不同，它对谨慎而精明的读者来讲，在很多方面都可以帮助人们去发现、驳斥、预见和阐明问题。谢尔顿在我国的学者中被普遍认为是领袖人物，现在与诸位同在国会任职，我所能引用的证明又有什么能比他说的话更好呢？他的《论自由法和国家法》不但收集了许多大作家的意见，而且还把睿智的理由和公理用数学方法证明，一切意见，包括一切错误在内，不论是听到的、读到的，或者校勘发现的，对于迅速取得确切而真实的学识，都具有重要的帮助。因此，我认为上帝过去普遍扩大人类身体的食物时没有考虑到节制的原则，因此，和以前一样，关于我们心智的食物和消化也任人随意选择。这样，每个成熟的人都可以运用他自己的领导能力。节制是多么伟大的美德，在人的一生中都是很重要的，但是上帝却把如此重要的事情完全交给每个成年的人，让他们凭自己的品行和风度做决定，此外并没有特殊的法律和惯例。因此，当他从天堂为犹太人制定律法时，每人每天所得到的食物的分量是一瓯麦，这分量就算是胃口最好的人吃三天也吃不完。因为这些"都是入口的，而不是出口的，所以不能污秽人。"所以上帝也不会把人们永远限制在一切规定好的幼稚状态下，而让他依靠理性的天赋做出自己的选择；对于一向只受说教管理的事情突然间增加了法律和强制规定，说教就没有什么工作做了。所罗门告诉我们，过多的阅读会使身体疲倦，但是他和其他富有灵感的作家也没有告诉我们说阅读是非法的。如果上帝认为限制我们阅读确实有益的话，那么他告诉我们阅读哪类书籍不合法比告诉我们阅读会使身体疲乏更加简单有效。至于受圣·保罗劝导而改信奉基督教的人焚烧了那些以弗所的书籍，答复是所烧的书都是关于巫术的书。这是叙利亚人烧的，是平民自发的行为，使我们也自发地加以模仿：那些人在悔恨中把自己的书全部烧掉了。地方法官并没有得到权利做这样的事。叙利亚人实施了书中的邪术，其他一些人也许读了很多类书，从中获得很多益处。我们知道，在这个世界上，善与恶几乎是不可分离地发展着。有益的知识和邪恶的知识有着千丝万缕的联系和千万种复杂而难以识别的相似之处，甚至连普绪客劳碌终生都捡不清的种子也没有这样混乱。亚当所尝的苹果的皮上，善的知识和恶的知识就如连在一起的孪生子一样，跳进世界里来了。也许正是由于这一劫数，亚当才知道善恶，这就是所谓的从恶中知道善。因此，就人类目前的情况来看，没有恶的知识，我们又有什么智慧做出选择呢？又有什么节制的规定克制我们的欲望呢？谁要是能理解并考虑到邪恶所具有的诱惑和表面上的快乐，同时又能克制并辨别出善恶而选择真正好的事物，他就是真正富于战斗精神的基督教徒。我可不赞赏转瞬即逝和隐于尘世的美德；没有活动，也没有气息，也不敢大胆地站出来和对手见面，更不敢出击，而只是在赛跑中偷偷地溜走；在这样的赛跑中，不流汗、不吸入灰尘绝不可能轻易地得到不朽的花冠；的确，我们给世界带来的不是纯洁，而是亵渎和污秽。使我们净化和纯洁的是考验，而考验是通过对立物达到的。因此，善在恶的面前如果只是一个出世不久的幼童，不知道恶诱惑信善者所允许的最大好处而抛弃善，这种善只是空虚而单调的善，不是纯真的善。它的洁白无瑕只是一种肤浅而毫无价值的白色；这就是我们贤明而严肃的诗人斯宾塞（我个人认为作为说教者，他比斯科塔司和阿奎那斯都强）通过奎恩来描写真正的节制时，奎恩带着他的手拿棕榈枝叶的朝圣者经过马蒙洞，走入人间的幸福之亭。

他能领会并懂得，而且还能节制。所以，在这个世界上，关于邪恶的认识与审视对人类美德的构成是十分必要的，对于辨别错误、肯定真理也是十分重要的。既然如此，我们如果想探索罪恶与虚伪的领域，又有什么能比阅读各种领域的文章和听各种理论更安全，危害更少呢？这就是兼容并包地读书的好处。这样的阅读法导致的害处，一般认为有三种。

第一，兼容并包的读书法会使坏思想传播。但这样的话，人类的一切世俗学术和宗教问题的争论都将完全消除，就连《圣经》也不会存在了。因为这里面经常涉及非常粗野的亵渎神明的事件和邪恶的人非常不雅的肉欲，有时还说到最神圣的人如何用伊壁鸠鲁的话急躁地埋怨天意。在其他大的争论中，对一般读者的回答都是模棱两可而十分晦涩的。大家不妨去问问犹太教的法学者，犹太法典中有什么东西如此损害意见的合理性，以至于摩西和全部预言家都不能劝他们把文本中的话说出来呢？我们都知道就是由于这些原因，天主教徒把《圣经》列为第一类禁书。《圣经》之后，应该被禁的书就是最远古的教父的著作。例如亚历山大港的克莱门特和欧西比亚写的《接受福音传道者启示的准备》，把异教徒在接受福音传教前所做的淫秽之事一一讲出来。谁又不知道艾伦希尔斯、艾匹芳尼尔斯、杰罗姆等人发现的异端邪说比他们所驳倒的更多，而且异端邪说的主张往往比他们的主张更加正确。至于这样说也毫无益处，全部异教的作家中最具有影响力的（也可以认为是人类学术的攸关之人），他们写书时用了我们都不懂的语言。我们都知道很多恶人能懂这种语言，他们都很有能力，非常殷勤地把所吸取的毒素逐渐传播，首先向宫廷中的朝臣灌输，告诉他们最高等的享乐，并把非难罪恶的说法告诉他们。也许被尼禄称为宴乐仲裁人的彼得朗尼奥斯就是这样做的。阿列佐地方有个臭名昭著的恶棍，意大利的朝臣们既惧怕他又喜爱他，为了子孙后代不会提到他的名字，就连亨利八世也会戏谑地说"他是地狱的代理人。"通过这种捷径，外国书籍的一切毒素就可以更容易地找到捷径传播到人们中间来。虽然印度的航行可以取道契丹北面向东驶去，也可以取道加拿大向西航行，但是比起书籍的传播却更难更漫长。然而，我国西班牙法庭式的书籍许可制度从未这样苛刻但是却钳制住了出版物。但从另一方面来说，宗教问题论战的书籍所产生的影响，对于有学识的人比对那些无知愚昧的人危害更大，更值得疑虑。所以这些书籍决不能让官员涉及。我们很难举出例子证明所有愚昧无知的人被英语写成的天主教书籍所引诱，除非天主教的神职人员推荐给他们，并作了详细的解释。的确，一切这样的小册子无论是真是假，就如以赛亚对那个太监的预言一样，没有人指导是很难理解的。但是我们的神父和博士们有多少人因为研究耶稣会士和索邦神学院的评注而腐化堕落？同时他们把这些腐化的思想灌输给人类竟是如此之快，我们对惨痛的教训是记忆犹新的。我们不能忘记，敏锐而独特的阿米尼乌斯只不过因为要驳斥代尔夫特的一篇无名的论文而精读了它，后来竟误入歧途。 纵然如此，镇压这类书籍和那些大量存在的极易腐化生活和歪曲教义的书籍，肯定会导致学术和驳斥能力的减弱。虽然这两种书籍都很容易被学者接受，而异端邪说和道德败坏的东西也很快就被他们传播给普通民众。邪恶的风俗行为即使不通过书籍，也能找到成千上万种其他传播方式，这些途径是没法阻塞的。邪恶的学说只要有人指点，完全不需要书籍也能流传。我们不难指出，为害多端的书籍出版许可令应作为无用而不可能实现的事情立即予以免除。即使具有乐观态度的人也不能不把这种制度比作是英明之人关上他的公园大门囚禁乌鸦的伟绩。此外还有一个困扰的地方，如果有学问的人首先将书籍里的邪恶和错误的知识接受并四处传播，我们不能肯定、他们也不能保证比国内任何人更值得信任，大家又怎么信任掌管许可制的人绝对不犯错误、不被腐蚀呢？如果说一个聪明的人就像一个优秀的冶金者一样，能从一堆矿渣似的书中提炼出金子来。书不在于好坏，而在于读者，蠢人就算拿着最好的书也和不拿书时一样是蠢人。我们没有理由因为要限制蠢人而剥夺聪明人有利于增加智慧方面的条件，因为限制愚笨的人读书也不能妨碍他们的愚蠢和荒唐。如果需要经常十分严格精准地限制，才能让人们远离那些不适合阅读的书籍，我们不仅要根据亚里士多德的看法，而且还要根据智慧的所罗门和我们的救世主的说法，不赐给他美好的箴言，最后还不允许他读到好书。肯定地讲，最无价值的小册子对于聪明的人来说也比神圣的《圣经》对于蠢人更有利用价值。

第二，有人宣称说，如果没有必要，我们就不该使自己受到引诱。而且，我们不该把时间浪费在无用的事上。对于这两种反对意见，我们从上面所说的理由就足以解释这个问题了；对所有人来说这样的书籍不是引诱物，也不是毫无价值的，而是有效的药物和炼制特效药的药材，这些药物都是人们生活不可缺少的。至于剩下的人，像小孩和幼稚的人，他们没有技术配制这些有用的原料，就该劝诫他们学会适度地节制。但是强制地限制他们，是神圣的宗教法庭的一切许可制无法做到的。

第三点我需要说明的是：出版许可令对于拟定的目的毫无益处。从前面所说的看来，这一点已经很清楚了，我也不想再作过多解释了。当人们看到能够自由地抒发真理，这比一切方法和讨论都有效。

从一开始我就竭力证明，任何制度良好或者重视书籍的国家，都不会采用出版许可令这一制度。也许有人会说，出版许可令是最近才被发现的可靠办法。对于这一点我会回复：这样的制度是极浅显也极容易想出的。它们应该早就被人提出来了，只是并没有采用，就这向我们说明了他们抱着什么看法，他们不采用这样的制度并不是由于不知道，而是都不赞成这样的办法。柏拉图具有很高的权威，但绝不是因为他那本叫《共和国》的书而具有影响的。他那本叫《法律篇》的书，虽然没有城邦接纳里面的观点，但在里面他提出了幻想的城主制定许多法令来满足个人喜好的幻想。就连在其他方面钦佩他的人，也希望埋藏这些观点，并辩解说这是因为在学术晚宴上喝醉了而失口说出的。根据这些法律看来，除了那些严酷的法令，他似乎不能容忍任何类别的学术。这些学术大部分都是实用性的传统技能，想获得这些技能只需要比他自己的对话集小得多的书库就足够了。不过也有规定，任何诗人所著的诗歌、文章等，未经过法官和法庭人员的审查批准，不得向任何平民朗读：很明显，柏拉图原本希望这种法律只能适用于他假想的共和国，而非其他国家。但他不甘愿受自己的立法限制，违反规定，写了很多荒唐的讽刺短诗和对话集，所以被地方法官驱逐出境，而且他不断地研读索福龙·密莫斯和阿里斯托芬等人粗野下流的书籍；尽管阿里斯托芬对自己的好朋友恶毒地诽谤，柏拉图却向暴君代奥尼苏推荐阅读他的书，其实代奥尼苏根本就不需要把时间浪费在这种毫无价值的废话上。而且他也知道诗歌的许可令肯定会涉及和依赖幻想的共和国所制定的很多其他的限制性条款，但是那些东西在世界上是不可能出现的。因此无论是他还是任何地方法官，又或者任何城市，都不能仿效那种做法。如果那样做，和其他附属法令分开，就必然徒劳无益。如果他们采用其中一种严格的办法，除非他们足够谨慎，能够控制一切其他同样易于腐蚀人心的事物，否则单独在一方面上努力必然徒劳无益，就如关掉一道门设防抵御腐败，而又不得不把周围其他的门大大打开一样。如果我们想控制出版物，从而改正风俗礼节，就必须调整所有使人愉快的娱乐消遣活动。除了庄严的和多利安式的粗俗音乐外，我们再也听不到其他音乐了，再也不能为其他歌曲谱曲、吟唱。对于舞蹈演员也必须经过批准许可才能表演，任何姿势、动作和风格必须经过他们批准，认同是纯洁的才能教给年轻人。柏拉图对这些都作了规定。如果要对每户人家的琵琶、小提琴、吉他等都做检查，这种工作就不是二十位许可制检查员能完成的。不允许人们的闲谈随意进行，谁又能去禁止所有的言论，那些压制闺房里柔情蜜意的爱情短诗和低声温柔的耳语呢？而且也必须考虑窗户和阳台。有许多劣质的书籍，竟用"包藏祸心"的书皮装订出售，谁又能禁止？难道那二十位许可制检查员能禁止得了？而且，村庄必须派视察者去查究到底风笛和小提琴所演奏的是什么，甚至连民谣及市镇的每一位小提琴手所奏的全部曲子都得检查，因为小提琴手是乡下人桃园派和蒙特·梅优的代表。

其次，英国人家庭中豪华奢侈的饮宴受到国外的热议，还有什么比国家的堕落腐败更严重呢？谁又能管理我们日常的狂欢纵乐呢？又该做些什么来禁止常常去酒馆闲荡的民众呢？我们的服饰式样都必须经过许可制挑选出的严肃审慎的师傅来监督，目的是裁制出不伤风败俗的衣服。男女青年相互交谈是我国固有的习惯，我们也必须加以控制。谁又能规定该谈论什么，不该谈论什么，谈论什么话题又不至于超越范围呢？最后，谁能禁止人们去淫乐之地消磨时间呢？谁能因成群结队的弊端而去驱散人们呢？所有这些将会存在，而且必然存在。怎样才能减少危害，少些诱惑，这些就在于国家朝臣的统治才能。如果从现实世界隐退到永远无法实现的新大西岛和乌托邦政体中，情况也不会有所改善。我们必须在这个邪恶的世界中，在这个上帝指定且不可避免的世界中明智地制定法律。柏拉图的书籍出版许可制是不能做到的，这种许可制必然会牵扯到很多其他的许可制，那样将会使我们荒谬可笑、疲惫不堪而挫败沮丧。但是那些不成文的，或者至少是非强制性的，道德教育中的宗教和社会教育的法律就足够，柏拉图在此提到过法律是共和国的纽带，法律更是每一条成文法的根基和支柱，在那些容易逃避许可制的事情中具有重要的作用。法律惩罚疏忽，怠慢大意必然是共和国的祸根，但是最重要的技巧在于辨别在什么情况下应该用法律限制并严惩，而对哪种情况只需要劝说就能起作用。如果对成年人的每一种行为是否善恶都进行规定、限制和强迫，美德就只不过是徒有虚名，善行也不需要被赞赏了，严肃公正和节制就没有好处了。有很多人抱怨，不该因为亚当违反天意就受到惩罚，这真是愚蠢的话！当上帝赐给他理性，就同时赐给了他选择的自由，因为理性就是选择。否则，他就仅仅是虚伪做作的亚当，这样的亚当就是装模作样。我们自己对出于强迫的服从和被动的才干并不推崇。因此，上帝让他自由，在他面前摆放了诱人的东西，甚至把这样的诱惑放在他眼前。他的价值，获得奖赏的权利，因为节欲而受到的赞赏都包含在这些诱惑中。为什么上帝会让我们产生情欲，让如此多的消遣享乐的东西围绕我们？若不是因为经受这些适当的调节，正是培养美德的主要构成，上帝也不会这样做。如果有人想通过消除罪恶的事物来消除罪恶，那他就是没有完全考虑到人们的情况。因为就算有时你能从一些人身上消除一些邪恶，但也许你正在消除邪恶，而同时其他的邪恶的事却在不断增加和累积。对于书籍这样如此普遍存在的东西，想消除书籍中的邪恶思想是不可能的，罪恶仍然会完全地存留下来。尽管你想剥夺贪婪之人的所有财产，他还是会留下一颗宝石——因为你无法夺去他的贪婪。纵使把一切欲望之物都消除掉，把所有年轻人监禁起来，用最严厉的纪律锻炼他们，你也不能让那些不纯洁的人变得纯洁，让不道德的人变得道德。恰当地处理这个问题需要非凡的谨慎和智慧。如果我们能以此方法消除邪恶，就应该注意如此消除了多少邪恶，而我们也会抛弃同样多的美德，因为善恶本身就是同一事物，消除其中之一的同时也会把另一个消除了。这就证明了上帝崇高的天意是有理由的，他一方面命令我们节欲、公正和自制，另一方面却在我们面前投入大量令人奢望的东西，给了我们毫无限制和无法满足的心灵。我们为什么要实行严苛的制度，与上帝和自然的法则背道而驰呢？不允许书籍自由出版就等于忽略甚至剥夺了考验美德和体现真理的东西。我们最好能认识到，当法律限制了不确定且对善行和罪恶产生相同影响的东西，它就必然是毫无意义的。如果让我做出选择，我更宁愿做一点一滴的善行而非大量强制地限制恶行的东西。因为上帝肯定更加看重善良贤德之人的发展和完善，而非限制十个恶毒堕落的人。其实我们的所见所闻和言行举止就完全可以算得上是我们所写的书，其产生的影响和著作是一样的。如果同意禁止的仅仅是书籍，那么这个法令显然从根本上就远远不能达到原来的目的。难道我们没有看到保皇党人非议国政的刊物在不断地攻击议会和城市吗？不止一次两次，而是每星期都印刷出版。

墨迹未干的纸张在我们中散布传播消息，这就能够证明出版许可制到底能做什么？也许有人会认为这正是许可制的主要作用，此条法令就是最好的证明。当法令在实行，你们都能明白。但是可以肯定地说，如果对这个特殊事例执行法令时盲目轻率且粗心懈怠，从今以后对其他书籍该如何处理呢？上议员和下议员们，如果你们不想这条法令遇到挫折阻挠或者形同虚设，那就必须废除并禁止一切未经许可而已经印刷发表的诽谤性的书籍。只有在你们把书籍列入清单后，人们才能知道哪些书是受谴责的禁书，哪些书不是禁止阅读的。同时需要下令，外国的书籍都必须监管，未经审阅不得发表流通。这样的机构不是少数检查员终日劳碌所能应付的，而且，有的书籍既有有益的、极其卓越的思想内容，又有有害的、邪恶的内容，为了不损害共和国的学术，检查工作就需要更多的官员进行修改、删减。当手上的书籍数量不断增加，他们就不得不把所有屡次违反法律的印刷商编入目录，禁止所有可疑的活版印刷的流入。简而言之，如果各位希望这条法令严格执行、毫无漏洞的话，那就必须完全根据特里腾宗教会议和西班牙宗教法庭的方式进行改革，我认为各位都是不愿意做这些事的。然而，各位竟然降格相从、违反天意，这样的法令对于各位原打算的目的而言是残缺不全和没有效果的。如果是为了阻止教派兴起，防止教会分裂，谁又能不学无术或者对故事中的教理回答完全不解呢？许多教派把书籍当做障碍物而抛弃，但他们却单凭不成文的传统习俗，历经很多时代保持着他们的教义纯粹，不发生混淆，这是很少听闻的。基督教信仰曾经也只是一个分裂的教派，然而，谁都知道其早在福音书和使徒书信出现之前就传遍了亚洲各国。

  如果实行这样的法令是为了纠正风俗，那我们就得好好看看意大利和西班牙这些地区，它们的宗教法庭对书籍实行的限制制度极为严格，然而这些地区是不是比别的地方更好、更诚朴、更明智和更有道德呢？

  还有一个理由能够更清楚地表明这个法令绝不会达到各位期望的目的——鉴于各位许可制检查员的品质就可以明了。无可否认，作为审判员，操书籍生杀大权，决定着书籍能否流通于世。这就要求他们勤恳、博学、公正地作出判断，品质才能必须胜于一般人。否则，审核书籍能否流通时，将会发生极大的错误，而且为害不浅。如果他的品质足以胜任繁多的工作，那么叫他不断地、毫无选择地读那些书籍和小册子（而且这些书籍往往还是庞然巨制的），冗长乏味而烦琐零散的工作必定枯燥无聊，极大地浪费时间。任何书籍不经久阅历都是看不下去的，但是阅读需要特定的时间，而且他们受命一刻不停地阅读书籍，而这些书籍手稿上的字迹极难辨认。就算书籍内容用最清晰的印刷排版，在任何时候也不可能一连完全理解三页内容。我完全不能想象，把这样的工作强加给那些珍惜时间和重视自己的学术研究或者稍有品评能力的人，他们是绝对不可能忍受得了的。关于这一点，我恳求在位的各位许可制检查员原谅我有这样的想法。他们接受这种工作的时候，肯定是为了服从议会，而议会的命令也许让他们认为任何工作都是轻松而愉快的。不过法令只实行了很短一段时间，就已经使他们筋疲力尽了。他们所做的表示以及对一再去请求签发出版许可证的人所做的解释，就足以证明这些了。因此，现在已经有清楚的迹象表明担任这个工作的人很想摆脱，而珍惜时间的人根本就不愿意浪费时间，也不可能接替他们的工作，只有那些只希望挣印刷校对的薪水的人才愿意做。我们也许能容易地预见将来的许可制检查员究竟是些什么样的人了：他们要不是无知愚昧、专横傲慢、粗心怠慢，就是卑鄙下贱，贪图金钱。这就是我提出说明这条法令何以达不到预期目的的原因了。最后我想说明，由于这条法令首先对学术和学者造成了极大的挫败感和侮辱，所以它不但起不到任何好的作用，而且显然对目标极有坏处。以前只要有人稍稍提及撤除兼任有俸圣职或者把教堂收益做更均等的分配，主教们就埋怨诉苦、悲叹哀伤，抱怨说那样一切的学术都将永远地受挫折和被破坏。但是对于那样的观点，我找不到任何理由认为任何一点点学术将会和神职人员共存亡。同时我也只能认为这是一个品格丧尽的牧师所说的卑鄙可耻的话。有的人是浑身铜臭味的冒牌学者，而有的人是富于自由精神和天才的人，他们显然生来就宜于研究学问，而且是为了学术本身而喜爱学术，他们不为金钱和其他目的，而只为上帝和真理服务，他们不愿意因为学术受到阻碍而彻底地失望。为了追求流芳百世的美名和赢得永垂不朽的赞誉，这是上帝和善良的人们一致同意对出版书籍促进人类发展的人给予的报偿。一个学术名望不高、从不触犯法律的人，他的观点和忠诚如果受到质疑，导致被人认为没有人审查和指导就不能发表自己的思想，未经管制就会分裂教会或者做出腐败堕落的事，这对具有自由思想和明白事理的人来讲就是极大的悲哀和侮辱。如果我们从老师的教鞭底下逃出来，又落到出版许可制的刑棍底下；如果严肃地认真地写作只不过是课堂上的语法题，未经过敷衍了事的检查员的草率检查就不得发表，作为一个成年人比学童能好多少呢？一个人对自己的行为不能自主，而且从未有作奸犯科之名，那么他就只能认为自己在共和国只是傻子或者外国人。当一个人准备向外界发表文章时，他必然会斟酌运用自己全部的理智和审慎。他辛勤地探讨、思索，甚至还征求很多贤明审慎的朋友的意见。所有一切完成之后，他才认为自己对于所写的东西了解，而且对以往的作品也很了解。这是他忠诚地写作，并用成熟的智慧获得的最完美的结果。他所费的那么多时间，所用的辛勤精力以及他的能力的证明，都不能让他达到成熟的境地，因为人们始终不能相信。他深夜不眠、守伴孤灯、精心勤劳地写出的文章却送给终日忙碌的检查员草率地看一眼，也许检查员是比他小很多的晚辈，在做判断时远远赶不上他，也许根本不了解写作所做的费力的工作。纵使他未被驳回或者受到轻视，在出版时也必须像一个晚辈由守护人领着，让检查员在标题页后面签字担保，保证他不是傻子或骗子。这种做法对作者、对书籍、对学术的特权和庄严而言就是莫大的耻辱和贬损。如果作者具有丰富的想象力，他在书籍获得许可但还未印刷出版之前，可能在头脑中想起很多值得增补的东西，这种情况常常出现在最优秀、最勤勉的作者身上，甚至有时在一本书中就可能出现十多次。但印刷者却不敢超过已获许可的印刷范围，因此作者必须常常不辞劳苦地跑到检查员那里请他审阅新增的内容。由于检查员必须是原来的同一人，有时候他不得不跑很多趟才能找到，或者碰巧检查员有空。其间，书籍的出版就被耽误停滞了，这就造成很大的损失。要不然作者就得放弃他最精确的思想，就把书籍以较差的水平出版，这对辛勤的作者来说是最大的悲哀和最烦恼的事。一个人要是教书，就必须有威信，因为威信是教学的生命；他如果要写书，就必须成为一个学者，否则最好什么也不写；但如果他所教的和所写的一切都只能由家长式的检查员指导，并完全按照他们的判断加以修改，然后才能提出来，那他如何有威信地教学或作为一个学者而写书呢？而检查员的判断都是迂腐狭隘的，每一个敏锐的读者一看到这样迂腐的批示，都会退避三舍，并反复地说："我最恨学校教员，我不能容忍一个教员在检查员签署的担保下来接近我。我本来是对检查员一无所知的，但是在这儿看到他所批示的东西后，我就知道了他专横傲慢的。而谁又能向我保证他们的判断是正确的呢？""国家可以保证，先生。"书商答道。但他又迅速补充道："国家的当政者是我们的统治者，但是却不能做我们的评论家，他们在选择检查员时也许就犯错误了，同样的检查员在选择作者时也很容易发生错误。这是人尽皆知的事。"有时他还会加上弗朗西斯·培根爵士的一句话说："这些被批准的书籍里只不过是些一时流行的话而已。"因为虽然检查员可能会比普通人更加明智贤能（这对后来的检查员来说是可遇而不可求的），然而他的职务和工作规定除了粗俗的庸人已经接受的东西外不能让其他的东西流传。更可悲的是，假如一个已逝作者的著作在他生前和死后都享誉盛名，却要经过另外的检查员的许可才能出版或者再版。如果在他的书中哪怕发现一句因为情绪高涨而措辞犀利的话（谁知道这不是神的旨意呢），不符合检查员自己低级老朽的趣味，即使这话是王国的宗教改革倡导者诺克斯所说，也免不了被他们抹去。这些伟人的思想就会由于轻率敷衍的检查员害怕出事或者粗心大意而不能流传于后世了。至于要问最近这样的侵害行为究竟发生在哪一位作者身上，或者发生在哪一本影响深远而必须忠实排版的书籍上，我现在就可以举出例子来，但是我要忍耐到最恰当的时机再举。如果有能力挽回局面的人对这些事情不及时地加以严厉的斥责，那些头脑衰退的人得到许可后就会把最优秀的书籍中最精彩的段落像铁锈一样侵蚀掉，并且对伟人的遗孤也施行阴险的欺诈手段。这样就会让那些不幸的人遭受更大的痛苦，而他们的不幸灾难却是因为具有理智。从今以后，我们也没有必要让人们钻研学术，人们只需要懂得人情世故就行了。可以肯定地说，那就只有对重要的问题既无知又懒惰，只会变成庸俗不堪的傻瓜才能算是过着愉快的生活，才算是唯一符合要求的人生。

　　这对每一位健在的明达之士而言都是莫大的耻辱，对已故的贤哲流传后世的著作也是极大的损害。所以在我看来，这对于整个国家和民族似乎都是污蔑和伤害。英国的发明、艺术、智慧以及庄严而又卓越的见解，绝不是一二十个人能轻易理解包含的，无论他们的禀赋多么优秀，我也不能如此轻视英国的文化；更不用说没有他们的监督管理这一切就不能通过，不经过他们的滤网详查筛拣、没有他们亲笔签署就不得发行流通。真理和理解力不可能像商品一样被垄断或者凭提单、发票，掂斤拨两地进行交易。我们不能把国家的所有知识当成售卖的商品，或者当成绒面呢和羊毛一样，标价签署售卖。如果不允许人们磨快自己的斧子和犁刀而必须从四面八方赶到二十个许可制的铸造厂中去磨，那就和非利士人所加的奴役制一样了。如果因为有人写作并发表了诽谤正直之人的错误文字，并且滥用和践踏了人类理性所享有的美誉，如果经过证实后，对他的判决责罚就是从今以后在发表任何著述之前必须经过指定审查员的审查，证明他所写的东西都是可以阅读而且没有危害的，这样大家便都会认为许可制是有失体面的惩罚。如果把全国从未触犯过法律的人都包括在这样疑惑重重的禁令中，那就不难看出这是多么大的污辱。当我们看到拖欠债务的人和罪犯能不加看管地到处行走，但是好书发行时，标题后面却跟着清晰可见的监管者，这更容易激起人们的不满。这对普通人来说也是极大的耻辱，因为如果我们对他们怀疑，甚至连一本英文的小册子都不敢让他们看，那我们就是谴责他们，并把他们当成糊涂、恶毒、没有原则和没有人格的人，并把他们当作病入膏肓的人，信念混乱，判断力毫不决断，没有出版检查员拿着导管喂就咽不下任何东西。我们不能妄称这就是对他们的关爱，因为在极端仇恨和鄙视俗人的教皇统治区，就是用同样严厉的手段来进行统治的。我们不能称之为明智的制度，因为它只管住了许可制的一小个缺口，甚至连这个缺口也没有管好；许可制所要防止的腐败堕落，却可以通过其他关不上的门迅速地涌入。

最后，这对我们的神职人员来说也是一件不光彩的事。关于他们所做的工作和教民们从他们那里所受到的教化，我们所希望的本不该这样糟。虽然受到了且将继续有福音之光照耀，教士们也不断地说教传道，没有想到他们仍然是一群毫无原则、没有教化道德、无知愚昧的乌合之众，只要有一本新的小册子稍微吹动，他们就会抛弃自己的教理问答和基督教的道路。尽管教士们不断地说教讲道，教民们受益很多，然而人们却认为未经过审查就不能放任教民们阅读两三篇文章；印刷出版并散发的讲道集和训诫稿已经是汗牛充栋了，甚至让其他的书籍都无法发售，但是遇到一个小册子之类的小武器就得躲到出版许可制的圣安格罗城堡中，否则就无法防御了。教士们的一切竟被人如此轻视，这足以向人们解释为何他们气馁沮丧了。

上议员和下议员们，也许有人会劝说你们：有学识的人非议这项法令的理由都是浮夸之词，都不是真实的说法。为了防止这一点，我可以把我在宗教法庭上对猖獗的暴政国家的所见所闻仔细叙述出来。当我有幸和他们中博学的人交往时，他们都认为在英国哲学自由，学者抒发理论不受限制，并认为我能生长在这样的国家是极大的幸运。他们忍不住抱怨惋惜自己的学术陷入了奴役的状态，就是这样的状态抑制并毁掉了意大利的智慧光辉和荣誉。近些年来，除了奉承谄媚的浮夸假话之外，再也没有优秀的著作产生。就在这里我探望了著名的伽利略，他年老力衰，由于在天文学上的见解与圣·方济各会以及圣·道明会的检查员的观点不合，就被宗教法庭囚禁起来。虽然我知道英国也处于主教的奴役下痛苦地呻吟，然而其他国家既然如此相信我国的自由，我就把这种信心当成未来幸福的保证。当时那些高贵的人都还赋闲在野，因此这事就不能达到我的希望。无论时间如何转变，领导着人们从束缚中解脱出来的人永远不会被人们忘记。一旦这样的行动开始，我就一点也不会担心害怕。我认为自己在其他国家的学者中听到对宗教法庭的抱怨，不该发生在我们国家，然而这样的抱怨却如此普遍的存在。当我表示自己和他们一样感到不满时，如果不致引来嫉妒，我倒要引证一个事例来说明那时的情况：以前正直的西塞罗很受西西里人民的爱戴，西西里人一再恳求控告维列斯。诸位知道，我国有很多尊敬诸位而又受到诸位尊敬的人，他们一再劝说和请求我不要丧失信心，并在公正理性的指导下，把为争取废除奴役学术的制度所产生的想法提出来。因此这就不是消除奇特的幻想，而是消除学识素养高于一般庸人、促进他人接受真理而又可以从他人身上接受真理的人普遍的委屈和不满，从上述的情况就足以说明这一点。在他们的名义下，我决不因为顾虑朋友或者畏惧敌人而隐瞒众人的怨言。如果又像宗教法庭一样实行许可制，我们就会变得胆怯，人们也会变得疑神疑鬼，并感到草木皆兵，甚至在不了解书籍内容的情况下，就对每一本书籍都感到害怕。不久前有人被压制禁止宣教，现在却转而限制我们，除了他们所满意的书籍外不让我们阅读其他书籍。我们不能猜出那些人究竟为了什么目的，只能认为他们是企图对学术再次进行严酷专横的统治。不久之后，事实就会无可争辩地证明，主教和长老会的长老在名义上和实质上对我们来说都一样。以前，主教制的流弊是通过五六个人或一二十个主教辖区普遍在人们中为害作恶的,而现在迫害却完全加在了学术上,这一点我们都很清楚。现在小小教区中无知粗鄙的牧师会骤然被提升为"书籍大主教区"的大主教。除开审查书籍外,其他的职务也归他们兼理,所以他们变成神秘的兼职者。这些人不久前还大声疾呼地反对主教垄断每个初任神职的牧师的学士学位的授予,否认教区居民的单一审判权,而现在他们却在家里以平民的身份兼掌了这两种职权,管理着最具有价值和最优秀的书籍,以及写出这些书的卓越的作者。这不是我们订立的盟约,也不是发表的声明,这绝不是推翻主教制,而是换上了另一种主教制;这只是把大主教辖区主教府的统治权做了更改,这只是老一套的出钱折减苦刑赎罪的诡计。人们一开始只是对未经许可的小册子感到惊恐,过几天就会对每一个秘密集会感到恐怖,再过一段时间就会把每一个基督教的集会都当成秘密集会了。我坚信,一个国家如果法度公正,宽严并济,一个教会的基础如果是信仰和真正的知识,就不会如此优柔寡断、胆怯懦弱。现在,事实上宗教中并没有规定著作自由应该模仿主教从宗教法庭学来的制度加以限制,把我们全部监禁起来,受检查员的管制,那就一定会让一切学术界和宗教界的人们感到疑惑和挫败。谁都会看穿这种狡猾的意旨是多么的巧妙,谁都知道主谋是哪位;人们说主教制被推翻后,一切出版事业都会开禁,在议会执政期间这被认为是人们与生俱来的权利和特权,这是光明的降临。但是现在主教制已经废除,主教被驱逐出了教会,看起来我们的宗教改革只需要留出职位让其他人以另一种名义填补就够了。主教的诡计又开始发芽滋长了,真理的瓶子也不会消耗油了,出版自由又必须由主教式的二十人委员会监管了,人们的特权也被取消了,更糟糕的是,学术的自由又会在旧的羁绊下发出呻吟,这一切都是在堂堂议会之下发生的。不过,这些人自己和主教们论战时所提出的论证和辩护,就会让他们记住这种侵害人权的残暴制度,在绝大多数情况下所产生的效果和原来的目的相反。它非但不能抑制教派,反而会让他们拥有甚至提高他们的声誉。圣·阿尔巴斯子爵说过："惩罚一种智慧就是增加它的威信。禁止写作，就会让人认为它是真理的火花，正好飞在一个想要熄灭这种真理的人脸上。"因此，这个法令就会被证明是教派的乳母，但是我却可以容易地证明它是真理的后母：因为首先，它让我们不能维持已经知道的东西。

只要我们细想就很清楚地明白，我们的信仰和知识就如我们的肢体和体格一样，只有通过锻炼才能不断强壮。真理在圣经中被比作溪流的源泉；如果水流不能够连续不断地流动，就会干涸成为一个形式和传统的泥淖。一个人在信仰真理时是可能成为异教徒的，如果他仅仅因为牧师解说什么就相信什么，或者宗教裁判法庭做了某种决定，就不问缘由地相信，即使他所相信的是真实的，他所持的真理也会成为异端邪说。人们最不愿意推卸给别人的责任就是自己所信仰或者在意的宗教信仰问题。新教徒和清教徒一生就像洛雷特的天主教徒一样，不求甚解地接受了很多信仰。如果一个富人沉溺于享乐并且醉心牟利，他会认为宗教难以理解，是不值得计较的蝇头微利，在一切的行业中唯有这一行他难以精通，不能开店做买卖。那他该做什么？他希望自己能有宗教的名声，也希望能和邻居一样信仰宗教。因此，他决定找一个代理人，这个人必须是有声誉有地位的神职人员，把这些苦工作交托给他，并把自己的一切宗教事业都托付给他处理。他把宗教仓库连同这些锁和钥匙完全归附给他，甚至把那个神职人员当成了他的宗教，他认为能和这样的人联系就能充分地证明了他的虔诚。所以有人会说宗教已经不再存在于他的心中，而是变成了他"个人的动产"，随着神职人员的来访和离去而靠近和离开他。他招待神职人员，留宿设宴款待并且赠予礼物；那个神职人员在夜晚回家，祈祷后饱餐一顿，然后酣然大睡。醒来以后，受到大家的行礼致敬后，就饮了一些马姆齐甜酒，或者饮几杯香甜可口的饮料，然后吃上一顿非常美味的早餐，他的胃口比起耶稣在伯大尼和耶路撒冷之间找绿色无花果时还要好得多。到八点时，这位"宗教先生"就出去了，把他那殷勤的主人留在店里做生意，整天都没有宗教信仰。

还有一种人，他们听说一切东西都应当受法令的管理，一切东西都该受到管理和安排，一切著作都必须经过税务所的收税人，对一切自由抒发的真理先征收一笔酒税和货物税，然后才让书籍发行，能够自由地进入诸位手中，让诸位选择自己满意的宗教。他们有的是开心愉快的娱乐消遣活动，每天从早到晚地打发时间，冗长乏味的年岁过得就像一场快乐的睡眠一样。至于旁人代为办妥的事，他们又何必去伤脑筋呢？这是人们过着百无聊赖的悠闲生活和知识完全失去作用时所带给人们的后果。像这样毫无异议的服从又是多么美好和令人向往，这种拘泥又将如何使我们完全驯服呢？毫无疑问，只有严寒的一月才能冻结出这样坚固严实的生活格局。

就算是神职人员的后果也不会更好。我们以前不是没有听说过，一个报酬优厚、现领圣俸、稳如泰山的地方教区的教士，如果没有其他的东西刺激他研究学习，就很容易流于悠闲自得，就会只是在英语圣经的索引中或是司空见惯的话题中转一转，在庄严的大学课程里拾一些牙慧，或者加上一本《福音书》合成集、《圣经》联句汇编，把某些低俗的教义条目来回地浏览，再加上一些用法说明、信条和格式的由来、神学家的标记和祷告文的正统构法，等等，然后用一点点编书的技巧，让这些东西像是在初级教本中取材一样，拿来截头去尾拼凑一下，接下来静静地思考两个小时。纵使只像这样做一下，他也能安排一个星期以上的讲道文，这儿并没有提到外文对照的圣经、每日祈祷书、圣经摘要和其他懒人的法宝。至于讲道文，把每一种平易的圣经原文都做了详细的注解，然后大量印行，印本大量堆积；这是伦敦唯利是图的圣·托马斯教堂事务室以及圣·马丁和圣·胡格等教堂中最畅销的现货。既然这里有那么多存货，就不用担心传道商品缺货了。但是如果屋后和宅旁不安篱笆，如果他的后门没有被严格的许可制紧闭，以致不时地冒出一本大胆的书来，对他以前所收藏的在壕沟里的东西发起进攻，他就必须提高警惕，时时防卫，对于他已经接受的观点派出优良的守卫和哨兵，亲自随同检查员四处巡逻，以免自己的教民被人引诱怂恿，这样教民也能得到更好的教化，更好地使用真理，受到优良的训练。上帝也认为我们在这种防范中的戒备警惕可以使我们不像出版许可制的教会一样懒惰。

如果我们能够相信我们是正确的，并且不能违背真理，如果我们不认为我们的宣教太薄弱而犹豫不定，并责怪教民是未受教化和不敬神的乌合之众；如果有一个人和教化教民的神职人员一样贤明博学而有道德，他并不私自挨家挨户地访问游说（这将会更加危险），只是公开地写作表明自己的观点，并且陈述理由，证明现在宣讲的东西为何不合理，这不是更加公平吗？基督答复大祭司的盘问时就辩说，他"从来都是公开地和人说教"的；何况写作比说教更公开呢？如果需要的话，写作更易于辩驳。既然有很多人把支持和拥护真理作为自己的事业和职责，那如果忽视了对真理的辩驳，是该归罪于懒惰还是无能呢？

我们已经因为许可制而受到阻挠，不能运用我们似乎知道的真正的知识。同时检查员他们如果要执行自己的任务，必然会顾此失彼。至于说这样的工作对他们的伤害和阻碍有多少，超过了任何现世的工作，如果他们不得不放弃这样的职位，必然会忽视这样或那样的职责，我并不坚持讨论，因为这是各人自知的事，必须由他们自己的良心来决定。

除了我已经公开说明的以外，这个许可制的阴谋所带来的难以置信的损失和危害还有许多我没有提出来。它比海上堵塞我们所有港口和河流的敌人更厉害，阻碍了最有价值的商品——真理的输入。不止这样，它最初是由教皇以反对基督教而拟定和实行的阴谋诡计，为了借此在可能的情况下，压制并灭绝宗教改革之光，并且建立错误的信仰。这就和土耳其人通过查禁印刷物来支持古兰的策略如出一辙。我们绝不否认，反而会欣然承认：因为我们掌握了很大限度的真理，尤其是我们和教皇以及教皇的附属物——主教之间的主要观点上掌握了很多真理，所以我们该比大多数的国家更加大声地向上帝表示我们的感谢和誓言。但是如果有人认为我们将停驻在此，并认为我们已经达到了凡人所能看到的宗教改革的最高境界，那么等到我们来到天国幸福景象中时，就会证明提出这种观点的人非常缺乏真理。

真理确实曾经和圣主一起降临于世界中，而且真理的形象是如此辉煌而完美。但当圣主升天而使徒们长眠后，就出现了恶毒的欺骗民族。他们就像埃及的堤丰及其同谋者对待善良的奥西里斯一样，把她可爱的形体砍成千万个碎片，散播到各地。从此以后，真理的友人悲哀凄惨，凡是敢挺身而出的，都像伊西斯寻找奥西里斯四散的躯体一样，四处奔跑，把躯干一点一点地拼凑起来，就像能全部找到似的。虽然我们还没有全部找到，上议员和下议员们，也许在圣主再次降临前，我们也不能全部找到，唯有圣主才能把每一个关节和身体各部分连接拼凑起来，再塑造成永生不死的美妙而完善的形象，但我们不要让这些许可禁令妨碍或者阻挠继续寻找真理的人，不要让那些一直为殉道圣人残缺的身体做葬礼的人遭受痛苦。我们对于光明感到骄傲，但是如果我们不能明智地对待太阳，它就会用黑暗和愚昧惩罚我们。比如那些被太阳所燃烧的行星，还有最明亮的、随着太阳升起落下、直到它们相对地运动到天空中的某个位置而在早晚可见的星星，在白天谁又能分辨出呢？我们能获得上天赐给我们的光明，不是要我们一直注视光亮，而是通过光明发现我们所远远不知道的进步的东西。我们之所以能成为一个幸福的民族，并不是由于我们脱去了教士的道袍，解除了僧职和主教的职务，或者把职权从长老会教徒肩上解除。如果教会以及政治经济生活中的大事没有加以审查和改革，那便是因为我们长久地注视了齐文格里和加尔文两人像灯塔般照耀的火光，使我们什么也看不见了。有的人经常抱怨，说任何人放弃了自己的信仰和原则就是一大灾难。其实，只是他们骄傲无知才会这样庸人自扰，他们既不能虚心听取别人的意见，也不能说服别人，而把所有在他们教义纲领里找不到的东西一律镇压废除。他们都是捣乱的人，是破坏团结的人，他们自己不愿意去寻找，还不允许其他人去寻找真理身上所缺少的那些分散的小碎片。通过我们已知的东西去寻找我们未知的东西，将我们找到的真理结合到真理身上（因为真理的身体本质相同而且比例相称），这就是神学和算术的黄金法则，能使教会达到完美的和谐。这种和谐并不是外表上强制的结合，不是冷漠的中立，更不是内部支离破碎，意见分歧不断。

英国的上议员和下议员们，请想想你们所属的和受你们管辖的民族到底是什么样的民族。这不是一个迟钝愚笨的民族，而是一个敏捷、机灵、具有洞察力的民族。人们勇于创造、精于辩论，其程度决不下于全人类的禀赋才能达到的最高处。因此我国最高深科学中的学术研究历史悠久而且杰出卓越，以至于许多古代最明哲的作家都认为毕达哥拉斯学派和波斯人的学术都是从我国古代的哲学家中起源的。曾经代理恺撒在我国进行统治的贤明而文雅的罗马人——朱利叶斯·阿格里科拉就认为大不列颠人的天赋智慧比起法国人费力地钻研更好。庄严而节俭的特兰斯瓦尼亚人，每年都从远在赫辛尼亚荒地以外的俄罗斯边境的山地里派遣许多老成持重的人而非年轻人，到这里来学习我们的语言和神学，这也不是没有道理的。但是最重要的是我们大有理由认为，上帝对我们赐予了特别的爱，并且眷顾我们。否则，为什么会首先选择我们的民族，而非其他的民族，在锡安山上向全欧洲大声地宣布第一个宗教改革的消息呢？要不是我们的主教顽固而刚愎乖戾地把神圣而受人钦佩的威克立夫当作分裂教派和新教主义的创立者加以迫害，也许波西米亚的胡斯和杰罗姆以及路德和加尔文的名字就不会为人所知了，改革所有邻国宗教的辉煌荣誉就会完全属于我们。但是，我们顽固而冷酷的神职人员用残暴的方式进行统治，导致我们在学术方面成为最迟钝和落后的人，而上帝本来想要我们成为导师的。上帝又一次命令在教会中开始新的伟大的时期，甚至把宗教改革本身再次改革：他要做的就是把自己展示给他的仆人们,而且他的习惯还是一样,首先展示给英国人;我所说他的习惯就是首先向英国人展示,不过我们没有找到听取神的旨意的方法,所以我们不配首先接受神的旨意。现在请看看这个广阔无垠的城市,避难的城市,自由的大厦,周围都受到上帝的保护。我们的武器铸造厂中没有那么多的砧铁和铁锤,却有执笔作文和善于思考的人;因此我们虽然不能制造盔甲和枪矛来武装正义,保护受困的真理,却能够彻夜守伴孤灯,沉思、探讨、创立新的观念和见解作为献礼,尊崇而又忠诚地送给即将来临的宗教改革。还有一些苦心钻研的人,他们尝试过一切事物之后,也同意推理说服的强大作用。一个人对于一个服从真理、追求知识的民族还能有什么要求呢?对于这样一个顺从而丰饶的国家,除了由明智而忠诚的人来促成一个具有贤哲、先知、圣人和杰出人物的民族,又能要求什么呢?我们认为离收获的时间还有五个多月,其实连五个星期也用不上了;只要我们睁开眼睛,就会发现战场上的战斗已经到了白热化的阶段了。哪儿渴望学术,哪儿就必然有争论、笔战和各种分歧的意见,因为优秀杰出的人们的意见就是正在形成的知识。由于人们荒唐地害怕教派,我们才贻误了上帝在这个城市中激起的追求知识与领悟的热情和积极性。其实,使某些人感到悲叹的事,我们反而会感到庆幸,我们应该赞扬人们虔诚的勇敢。由于神职人员管理得一塌糊涂,所以他们把原来授予神职人员管理的宗教事务全部收回自己的手中。只要我们能放弃主教的传统,不把基督教自由的道德良心和人权自由硬塞到教规和人类的信条中去,再加上一点点审慎和一点点慈爱,人们相互宽容忍耐,就可以把这种防范小心的态度转变成普遍而又亲如兄弟的共同团结寻求真理的态度;如果一些伟大而杰出的外方人来到我们中间,独具慧眼地看出我们整个民族的性格行为和统治方法,并察觉到整个民族的先进思想和推理判断在追求真理和自由时,所具有的远大的抱负、崇高的理想和勤勉敏捷的作风,我相信他们都会像皮洛士赞赏罗马人的服从与勇敢一样大声呼喊:"如果这些人就是我的伊庇鲁斯人，我将无所顾虑地构思出最好的计划，使每个教会和国家都幸福。"但是，现在这些人都大声疾呼地反对宗教和教派。就像当我们给上帝建造圣殿时，分派有些人采伐石材，有些人把石材锯方，另外的人则去砍杉树；而有些毫无理智的人却认为，在上帝的圣殿建成之前，根本就不该安排如此多的教派和小组在采石场和木料场工作。虽然每一块石头都非常美观地垒砌在一起，却无法结合成一个天衣无缝的整体，在这个世界最多只能砌得密合而已。每一幢建筑物的形式不可能完全一致，甚至可以说形态的完美在于许多适度的变化和亲近的差异，彼此之间的差异不太远，因而产生美妙而优雅的对称性，使整个建筑物都非常悦人心目。因此，当伟大的宗教改革即将来临时，我们必须做考虑周详的建筑师，在精神的建筑物中抱有更明智的态度。现在似乎到了这样的时候，伟大的先知摩西将坐在天堂上，因看到他那令人难忘而辉煌的愿望已经实现而高兴，不仅仅是七十个长老，而且上帝的所有子民都变成了先知。如果有人，甚至还有一些像当年的约书亚一样神性较浅的虔诚的人，看到如此年轻而卓越优秀的人，会心生嫉妒，这也是毫不奇怪的事。他们十分焦虑，并且由于自己的弱点而苦恼，他们深恐我们经过分裂再分裂会毁灭。我们的敌人却会拍手称快，等待那个时刻的来临。他说：当教派分裂到相当小后，他们的时机就到了。傻子！他没有看到让我们长出枝叶的牢固的树根。他们根本就不会注意到这点，直到我们的小分队从四面八方把他们一盘散沙的大队切成粉碎。我们对所有预料中的教派抱有很大的希望，真的不需要那些人的焦虑和关心。也许，他们太过胆怯心虚而担心烦恼这种做法，我们最后要耻笑那些恶意地庆幸我们分裂的人。我有很多理由让我相信：首先，一座城市被围困封锁后，所有航道会常有敌人出没，周围将不断遭到侵袭，而且经常都会听到谣传说反抗和战争会被迫打到城墙下和城郊的战壕中来。这时人民，或者说大部分人民就会以超乎寻常的态度，完全地投入研究，考虑如何改革最重要的事项。他们可能因此发生争执、推理论证、阅读、创造、讨论。甚至创造出极其罕见的令人羡慕的、或者以前人们从未论述和写作过的事物。以上这些首先证明了人们对于诸位上议员和下议员的精明审慎、深谋远虑的政府衷心的拥护，并对各位完全信任和满意。他们从此产生了无畏的勇气，因而更有充足的理由蔑视敌人。当罗马人几乎被汉尼拔包围在这个城市的时候，有人竟会高价购买汉尼拔的军队营地，而似乎我们中不乏这样伟大的人物。此外，这对于我们值得庆祝的胜利还是生动而令人兴奋的预示。就如一个人体内的血液非常清新时，他的精神不但对躯体，甚至对理智以及其他极其机智敏锐的智力都是纯洁而富有活力的。这就说明了身体状况是多么重要。因此，当人们情绪十分高涨因而不但能保障自己的自由和安全，而且能留有余力参加最神圣而最庄严的问题的讨论，并能提出新的观点意见时，就表示我们并没有堕落和腐化，也没有消沉萎靡到致命的腐朽中，而是把起了褶皱的、陈腐堕落的外壳抛弃掉，经受过这些痛苦和折磨重新变得年轻了。我们走上了光辉的真理和兴旺繁荣的美德的道路，这就注定在将来的岁月中变得更加伟大而光荣。我以为，我的脑海中已经看到了一个高贵而强盛的民族，就如在沉睡中被唤起的巨人一样，抖一抖他所向披靡的发髻；我认为，我看到他像兀鹰一样换上了强有力的青春羽毛，即使对着正午阳光的照耀也不会眼花目眩。它在这神圣的光辉下，在泉源下清洗、开阔自己久置未用的视觉。而那些畏缩胆小的鸟群和那些喜爱熹微晨光的鸟群却在鼓翼振翅、叽叽喳喳地叫个不停。它们对于兀鹰的雄姿感到惊讶，于是便心怀妒忌地喧噪着，预言着教派分裂的年头的到来。

  那么诸位该怎么办呢？在这座城中知识的禾稼正在开花结果，知识已经放射了，并每天都在继续放射出新的光芒，难道诸位要压制这一切吗？难道应该让二十个专横暴虐的统治者建立寡头政治吗？这会给我们的心灵再次带来饥荒，我们除了经过他们用蒲式耳测量并判断过的东西外，对其他东西一无所知。

相信我吧，上议员和下议员们，谁要是劝说诸位像这样进行镇压，就如叫诸位压制自己一样；这一点我会在下面加以说明。如果想知道写作自由和言论自由是如何直接产生的，那么除开诸位仁厚宽宏而富于人道精神的政府以外就找不到更真实的来源了。上议员和下议员们，是你们特有的英勇和巧妙的决策让我们赢得自由，而自由是一切伟大的智慧的乳母。它像天国的感化一样，使我们的精神和心灵开明而又高贵。它解放了我们的思想，扩宽了我们的见识并提高了我们的理解力。现在除非培育我们的诸位议员对于真正的自由已经不如往昔那样尊崇了，否则就无法使我们在能力、知识和追求真理方面的热情减少。我们可能再次变成诸位当初那种愚昧无知、粗暴残忍、拘泥而又卑屈盲从的情形，但是那时诸位首先必须变得像旧统治者一样暴虐、专横和武断。但我想各位是做不到的，因为当初正是诸位议员把我们从压迫下解放出来的。现在我们的心境更加开阔，我们的思想更加振奋，可以寻求并接受伟大的、正确的事物。这都是诸位议员的美德在我们心中产生的影响。除非诸位把已经废除的残忍的法律强加在我们身上，家长能够任意处置自己的孩子，否则就不能压制这一切。不过那时候谁又会竭诚拥护诸位，并号召其他人支持诸位呢？他们绝不是拿起武器反对军装税和军运税的人，也不是反抗四诺布尔丹麦金的人。虽然我不会谴责为了合理的免税而做的斗争，但是如果免税就是一切，那么我会更爱和平。赐予我自由来认知、各抒己见，并根据道德良心自由地辩论，这才是一切自由中最重要的自由。

　　如果压制新颖而不被流俗所接受的意见被证明危害大，而且是螳臂当车，那么最好的办法是什么？这不是我这样的庸人能说清楚的。我只能重复说说我从一位高贵而虔诚的上议员那里听来的意见。这位议员为了教会和共和国献出了自己的生命和财产，否则我们现在就不会因为失去这一意见高贵而坚定的倡议人而悲悼哀婉了。我相信诸位都知道他，但是为了尊敬他——永远地尊敬他，我还是要提出他的名字来，就是上议员布鲁克。

他写了一本关于论述主教制的书，书中还论述了教派问题，把恳切的希望留给诸位去实现。现在看来，这些希望就是他的临终嘱托。我知道诸位议员对于这样的嘱托都是极为尊敬的。除了耶稣临死前嘱咐使徒们相爱并赐给他们和睦安宁的遗言外，所见所闻的语言中，我找不出比这更仁慈宽厚的话了。他告诫我们：有人想生活得更加纯正，把自己的良心所给予的最好的指引当作上帝的安排；这些人就算受到他人的诽谤谩骂，我们也该耐心而谦恭地听取他们的意见，纵使这些意见与我们的不同，我们也应该宽恕他们。他所写的那本书早已出版问世，并且被献给议会，书中详尽地告诉了我们很多东西，他的生和死都证明了他所留下的忠告值得我们细细品读。

现在正是我们发表写作和言论，推动大家进一步讨论激动人心的事情的时候。两面神贾纳斯的神殿的门上有两片对合的贾纳斯神像，现在也许不会无故地打开了。虽然各种学说流派可以任意地在世界上传播，真理也能自由地产生，如果我们怀疑真理的力量而实行许可制和查禁令，就是在伤害真理。让真理和虚妄交战吧。有谁听说过真理在大胆地交战时失败过呢？她的驳斥就是最好最可靠的压制。有人听到我们祈祷上帝赐予我们光明和清晰的知识，就以为在日内瓦教派体系以外安排的其他一切事物，我们都已经构思好而且已经掌握在我们手中。而当我们所祈求的新的光明真正地照耀在我们身上时，只要没有首先照到某些人的窗户上，他们就会嫉妒地提出反对意见。智者忠告我们日夜辛勤地像探寻宝藏一样去寻找智慧学识时，竟然有另外一些人命令我们除开法律所规定的外，禁止知道其他的事，这是一个多么大的阴谋啊！当一个人在深渊的知识的矿藏里进行过艰苦的劳动后，他的发现物装满了马车，接着就像上战场一样把他的理性全部拿出来，摧枯拉朽地击溃了途中所遇到的一切障碍；然后把他的对手叫到平原旷野来，让他享受阳光和新鲜空气的便利条件，只要他愿意用辩论的方法论证这一事理。如果这时他的对手退缩、设下埋伏，并留下许可制的狭窄的桥让挑战者通过，这在战场上也许足够英勇，不过在真理的战斗中却是懦弱和胆怯的表现。谁都知道，除了全能的上帝外，就数真理最强了，真理根本不需要策略、计谋或者许可制来取得胜利，这些都是错误所用来保护自己和对抗真理的策略。只要留给真理施展的机会，且当她睡着时不要把她捆绑着就行。因为把她捆绑起来，她就不会说真话，就像古时的海神普罗特斯一样，当他被抓住捆绑时，只说了神圣的预言。这时她就会变成各种各样的形态，而不现出自己的原形，也许会随着不同的时间改变她的声音。真理也会像在先知弥迦在以色列王亚哈面前随声附和一样，直到亚哈恳求她才说了真话。真理的形式可能不止一种，对于某些东西来说，真理在这一边或那一边看去都很像，这些东西都是无关紧要的。这些法令废除后，法律条文被钉在十字架上时，就只是毫无用处的一纸空文。保罗常常夸耀的基督教的自由如何才能获得呢？他的理论就是吃不吃祭肉、守不守安息日都是为了上帝。只要我们能够宽容慈善，不把互相评判作为我们伪善的主要支柱，很多东西就会和平相容而交由道德良心解决。但是我恐怕这种外表一致的残酷的枷锁已经在我们的颈项上烙上了奴隶的印，亚麻法衣下的繁文缛礼就如幽灵般困扰着我们的心灵。当我们看到一个教会团体和不同的教会团体稍微发生一点点分歧时，纵使导致分歧的并不是基本问题，我们也会感到困惑甚至无法容忍。我们动辄就压制真理，而胆怯畏缩恢复受习俗奴役的各部分真理。我们对真理发生分裂毫不在意，然而这才是最厉害的分裂。我们看不到当我们受到严格的拘泥于外表形式的东西影响时，很快就会再次陷入一种粗野的盲从国教的完全呆滞的状态，就好像草木禾茬毫无生气地被挤压和冻结在一起。和教派的分裂比起来，这更会让教突然腐化堕落。我绝不是对所有很小的分裂都感到高兴，但我也不认为把大家都捆在教会里，就会成为金、银、宝石了。人们无法分清小麦和稗子，也无法把好鱼从坏鱼中分辨出来，这只能是天使在世界末日时的事情，但是如果大家不能完全一条心，谁又能保证他们能做到这一点呢？让大多数人都受到宽恕而不让所有人都受到压迫，无疑会更加审慎、更加精明和更加符合基督教精神。我所指的肯定不是宽容教皇制和公开的迷信——既然它们要消除一切的宗教信仰和世俗的主权。如果我们还想用仁慈宽恕和同情怜悯的方法来挽救懦弱的人和误入歧途的人，就必须把它们根除。同样的道理，一切的法律如果还想成为法律，就绝不能宽容那些反对信仰和破坏风俗习惯的不虔诚和罪恶的事。但我说的分歧是教义或者教派形式上的一些谐和的差异，甚至是无关紧要的差异，虽然这些差异可能会很多，但是只要"我们能用和平彼此联系"，就不会妨碍"圣灵所赐的团结一致的心"。同时，如果有人想要写作，并对于我们费力从事而缓慢前进的宗教改革能伸出援助的手；如果真理首先对他启示，或者至少似乎对他启示过，谁又能使我们如此地沾染耶稣会士的邪风伪善，以至于为难人类，让人们先请求许可再做这样高贵的事业呢？不考虑这个，如果我们径直采用查禁制，那就非常可能查禁了真理本身。因为我们的眼睛早已被偏见和流俗所蒙蔽，起初看见真理时，就会认为它比很多错误看起来更不堪入眼，更加虚假而不合理，甚至就如许多伟人看起来让人感到轻蔑和可耻一样。某些人所说的最新的见解其实是毫无价值、毫无用处的最糟糕的见解。他们认为，除开自己所喜爱的人外，就不该听从其他人的见解；这就是教派泛滥成灾，而真理远远疏离我们的重要原因。他们这种新见解对我们来说有什么用呢？此外，这样还会有很大的危害。当上帝用更强大而更有益的扰乱震撼一个王国，使它发生一次普遍的改革时，很有可能许多教派和假教士就会手忙脚乱地怂恿引诱人们。但是更确切的是，上帝这时就会唤起才华出众、勤勉过人的人为他而工作。上帝告诉他们不但要回顾以往、重温以前所教授的东西，而且还要为进一步地获得真理而继续前进、采取一些新的明智的措施发现真理。因为上帝在照耀他的教会时，总是按照一定的规则放出他的光，为了我们尘世的眼睛能够承受住光亮。至于上帝首先要在什么地方选择那样的人，或者从哪里听到他选择的人的声音，都是不受限制和不作指定的。因为上帝看东西不像凡人这样看，所作的选择也和凡人所作的选择不一样，这样就使我们免于固执于某些固定的地方和宗教裁判会议，或者是人们的召唤，让我们的信仰一度倾注于以往的教士会议大厅，一度又倾注于威斯敏斯特教堂。如果在这些地方定出一切正统的信仰和宗教，如果没有清晰朴实的说服力和仁慈宽恕的说教来抚平良心上的一切创伤，并启迪教诲希望尊崇圣灵而不相信人类誓言的最卑鄙的基督教徒，那是不恰当的。纵使这些地方的人完全赞成这样的意见，就算哈利七世本人和他周围在威斯敏斯特教堂里的君臣的阴魂全部起来随声附和也办不到。如果领导教派的人犯了错误，要不是我们懒惰、固执己见、不信任正确的事业，又有什么东西能阻止我们宽容和蔼地和他们会谈，以此消除顾虑；或者阻止我们不去辩论，而常常以宽容的面谈来彻底辨明事情的原委呢？我们都知道，尝试过学术的人都会认为：不满足于陈腐观点的人都可能精通并向世界解说新的观点，使我们在很多方面获得益处，那么我们就算不是为他们的利益，也该为了达到我们的目的而这样做。如果他们只是我们脚上的尘土或泥渣，只要愿意，他们也会擦亮真理的武器。即使这一点也不能把他们彻底地抛弃掉。如果这些人都是具有杰出才能或者天赋超群的人，是上帝在这些时日中安排的最适合做特殊工作的人，也许他们既不是大祭司，也不是法利塞人。因为我们常常在没有理解别人的意思前就下判断，害怕他们带来新的危险的观点，所以鲁莽急躁而毫无区分地禁止他们说话，以为这样就保护了真理，而事实上这却带来了灾难悲痛，而我们正是迫害者。

  自从议会成立以来，就有很多长老会的信徒和其他人，用他们未经出版许可的书蔑视和污辱出版许可制，他们首先打破纠结于我们心头的三块冰，让人们重见光明。我希望这些人在因谴责这项法令而得到很多好处之后，就不要倡议把这种奴役性的束缚重新加在我们头上。但是如果摩西对年轻的约书亚的制止，还有我们的救世主对年少的约翰的制止（因为上帝急于阻止那些他认为没有得到许可的人说话）都不足以劝诫我们的长老们，让他们知道自己如此急躁地查禁阻止人们出版是多么的不合神意，如果他们能够记得出版许可制的障碍在教会中造成多么大的罪恶和不幸，他们破坏许可制后受益又多么深，却不能阻止他们倡议把宗教法庭中的道明会的制度加在我们身上，而且已经把一只脚插进马镫里，想要激化这种压制令，那么我们首先镇压这些压制者就不能算是不公正的回敬了。他们虽然在不久前经历了不少艰难困苦，可是却没有变得明智起来，境况变好了就骄傲自大了。

关于出版管制问题，任何人向诸位提出建议都不会比诸位颁布的这条法令之前所制定的那一条法令更好。那条法令规定："除了印刷者和作者的名字，或者至少印刷者的姓名登记备案后，任何书籍不得付印。"任何未经过批准而出版的书籍，如果发现书籍有毒素和诽谤性文字，查禁或者焚烧书籍就是人们所能使用的最及时且有效的补救方法了。我所说的不久便会被证明，目前这条名副其实的西班牙式的书籍许可禁止令本身就是最不符合许可制的东西。这就是专断的皇室法庭的法令最直接的翻版，制定那项法令时，皇室法庭正在尽职尽责地进行其他的工作。正是由于这些工作，皇室法庭随着撒旦的堕落一起垮台了。这项法令的图谋非常虚伪造作，伪称限制书籍是为了善行，凭借这点大家也能猜测法令到底是如何审慎、如何忧国忧民、怎样顾全宗教和善良风化的。它究竟是如何获得优势，赢得诸位以前制定完好的贤明法令的地位的？如果我们相信由于职责关系而熟悉内幕的人所说的话，就会怀疑一定有书商对书籍销售垄断专营。他们谎称自己商号中的穷人不能受欺骗，每个作者各自的版权都不能受侵犯，反对这些都是上帝所不容许的，把一纸特别呈文用各种各样美观的装潢掩饰着送到议会厅。这些特别呈文确实就只是些虚有的幌子，除了压制邻人之外没有其他用处，因此人们不能从事学术所赋予的正当行业，而只能做其他人的附庸。有些人请愿实行这条法令目的就在于得到权力后，邪恶的书籍就更容易散布，事实也证明了这一点。我对贸易行业的那些诡计和花招根本不了解，但是我知道：一个精明的政府和一个管理很差的政府同样容易犯错误；试问哪一个官员又能保证不受误传的信息影响呢？尤其是出版自由被少数人掌控的时候，就更容易出现这样的情况了。可敬的上议员和下议员们：如果能迅速纠正一个错误，如果处于最高权威的人对一个平易坦率的谏劝能比其他人对于收受一大笔贿赂更加重视，这就更加符合诸位高尚行为的美德，而且只有最伟大、最明智的人才有这样高尚的美德。

教 育
Milton's Tractate On Education

〔英〕弥尔顿　著

主编序言

此信是弥尔顿写给塞穆尔·哈特里布先生的，后者为一德裔波兰商人与英国妇女之子。塞穆尔·哈特里布一生大部分时间都住在伦敦，且对教育和慈善事业热爱有加。从本小册子的叙述可以知道，哈特里布先前恳请弥尔顿将关于教育的一些想法撰写成文，因为他们在谈话中经常涉及该话题。这篇文章即为哈特里布恳求的结果。

文章开篇对"完备而慷慨的教育"作为一种"使人无论在和平时期还是战乱时期都可以在不同岗位做出正义而高尚的表现"的一种工具进行了阐释。作者随即提出了一个令现代读者都感到惊讶的教育计划：他对拉丁语和希腊语的强调容易理解，因为在弥尔顿时代，这两种语言是做学问的唯一敲门砖。但是，在希伯来语之外随意增添卡尔迪亚语和叙利亚语，却显示出作者低估了一般青少年掌握语言的难度。所幸，在弥尔顿提出的教育系统里，语言学习只不过是一种手段而非目的，词汇所表达的事物而不是词汇本身才是构成教育的元素。因此，指定阅读的希腊和拉丁作家是在充分考虑其写作主题的基础上加以遴选的，而且提供的读物是使学生获得当代科学的综合知识，同时得到宗教和道德方面的训练。身体锻炼建议具有同样的实用价值：剑术、摔跤术和马术训练是从从军需要的角度提出来的。弥尔顿对艺术也很重视，因为诗歌和音乐不仅可以供人休闲娱乐，还可以修身养性。

诚然，正如弥尔顿本人所言，这样的教育计划并非人人适用，它不过是一种带有启发意义的实用主义教育理想。

查尔斯·艾略特

致塞穆尔·哈特里布先生

哈特里布先生：

许久以来我坚信，不管在什么情况下，都必须重视记忆和模仿。没有什么目标或可敬的事可以感动我，除了对上帝和人类的爱。但是，关于撰写有关教育改革文章一事，尽管重要和光荣，同时也因各种原因被国家荒废，现在却必须完成。如若不是您的热心恳求，我断然不会答应，原因是我本人的兴趣和精力差不多已经有一半转移到对其他事物的追求上去了。知识及其应用已然变成推动诚实、公正及和平的重要力量。这样的想法说服了我，让我认识到那是一个既有利于社稷又使人向往的影响深远的问题。听说您在我们一些最有智慧、最高贵的人中享有同样的声誉。不必提及我们在国外的学术通信和在此方面付出的艰辛，那可能是上帝的意志，也可能是自然的某种安排——这是上帝的工作。我不能像您那样享有盛誉和受人尊重。而您失却了鉴别力，把一个不合适的沉重的课题加在我身上。在我们的交谈中，您偶然想到一个主意，要我在这方面谈谈看法。此时此刻，我不会也不能推延这样的请求，因为它需要立即得到满足，它值得我一试，它是由上帝安排的事。我不会拒绝您加在我身上的无论是来自神还是来自人类的恩赐。我必须立即效命，安坐下来撰写您需要的文字。

其实，在我的大脑中早已有一种未曾表达的自然产生的良好教育观念，它比现今业已实行的制度更加广泛，也更加深入可靠，并且耗时较少。

请相信，我将竭尽全力兑现我的诺言。我认为我们国家有些事情有必要去做。顺便告诉您，为节省时间起见，我阅读了古代有名作家的著作，还阅读了现代夸美纽斯的《大教学论》等著作，受益匪浅。这些独到的观点和材料曾经启发了众多勤学善思的寻找文明知识的人们，假如您愿意接受这些知识，它们一定会让你心满意足。于此，我乐意将它们提供给您，便于您参考和借鉴。

学习的目的是恢复前人荒废的东西，这就要求我们恢复对上帝的正确认识，用学得的知识去爱他、效仿他，并像他一样使我们的心灵更接近真正美德，与美好的信仰融合在一起，使之日臻至善。然而，我们对知识的理解不能在自己身上找到，要在能感知的事物里去寻觅；它并非明显地来自对上帝的认知和不可见的事物，而是来自对可见事物的探究。我们需要用同样的方法对待细心的教学。不难看出，每个国家提供的经验和传统不足以应用于各种教学，所以我们首先要教会那些既聪明又勤奋之人的语言。语言不过是一种工具，用来传达那些我们需要知道的、有用的东西。尽管语言学家常常自夸，说自己掌握世界上所有的语言，但是，假如他不像研究字词一样研究语言的内涵，那么他就算不上一个有学问的人，就像游民和商人只精于方言一样，由于出现诸多问题，致使人们在学习中普遍缺乏愉悦感甚至导致失败。首要的问题是，我们不恰当地花费七八年时间用来学习一点点拉丁文和希腊文。本来，假如采用其他有效方法外加勤奋，在一年内就可以学会。在这个方面，我们今后需要精练。在中、小学和大学，我们的部分时间浪费在了愚不可及的一些无聊事务之中，部分浪费在了荒谬的强制性要求上，迫使学生用空洞的思维去作文、写诗和演说。而这些东西应该是具有最为成熟判断力的人才能做得到的，也应该是一个博览群书、悉心观摩、通晓格言并勤于创新的人最后的智力产物。众所周知，知识不是从幼稚的年轻人脑子里钻出来的，好比从鼻子里挤出血液、从树上摘取青涩的果子。由于他们并未经过正式英语习语的训练，在使用拉丁和希腊方言方面会出现不规范的不良习惯，除此之外，他们还存在不良的阅读习惯。他们对经典作品缺乏持之以恒和认真审慎的阅读、讨论和领悟的良好习惯。他们缺少尝试——假如把经过准备的讲演以一定方式储存在记忆中，引导他们去付诸实践，同时选择一些简易书籍让他们精读，那么他们不久就能领悟美好事物的精髓；再按一定顺序学习文字，就能使他们很快掌握语言能力。个人认为这是语言学习中最合理和有利的方法。这样我们便有希望在学生们的青春时代向他们诠释何谓上帝。同时，我还相信，在文学教育的方式上，人们至今还在重复一个陈旧的错误：开始的时候他们不是给学生提供浅显且极易感知的文学常识，而是让那些年轻的初学者接触一些最具智慧的逻辑和形而上学作品选读。他们先是放弃了文法部分，毫无理由地坚持教授几个无用的单词结构。现在他们突又转向，以不太牢靠和混乱的理智，零碎的概念以及充满嘲弄、欺骗的胡言乱语，陷入深不可测的喧嚣争论的深渊，将学习摆放在充满敌意和不屑一顾的位置，虽然他们主观上还是希望得到有价值的和令人愉悦的知识。直到青年时代，这种学习理念还在各方面影响着学生们，使其梦想不是当一个有野心的和贪财的人，就是当一个无知的热情崇拜者。还有一些人被引诱去做法律买卖，他们不会谨慎考量正义和公平，因为学校并未教过他们这些。他们争论某些诉讼名词，盘算自己应该得到多少酬金。其他人则从事国务工作，他们无心于道德原则，也无心于培养自己真正宽宏大量的情怀，而是把阿谀奉承、阴谋诡计和一些所谓警句作为最好的智慧。他们自愿把奴性植根于自己贫瘠的心灵深处。在我看来，这不是夸大其词。最后，还有一些人，他们不崇尚学习，而是向往舒适和奢侈的生活，终日吃喝玩乐，比起其他人来，这是一种最聪明和最安全的生活方式，当然，假如他们还存有一丝良知的话，就另当别论了。这些都是在学校里浪费青春少年时光的结果，无论是仅仅学习一些单词或者诸如此类的东西，这样都等于没有学习。

我将不再讨论我们不该做什么，而是直接指引您到达山坡一侧，告诉您通往道德而高贵的教育之途径。在最初阶段，勤劳是必须的。之后就是万里坦途，景色宜人，美好的乐音响彻四方，连俄耳浦斯的竖琴都望尘莫及。我深信您将努力促进我们迟钝而又懒惰的青少年的成长，他们的根茎需要充分的营养。我们不会强拉那些最有希望的天才赴充满荆棘的愚蠢盛宴，尽管这些所谓精神食粮的盛宴通常都是为那些处于脆弱和易于控制的年龄的年轻人所设。所以，我呼吁建立一个完善的、内容丰富的教育制度，以培养适宜于平时或战时所有公私工作的、公正的、有技能的和宽宏大量的人才。所有这些工作都可以在12~20岁完成，条件是在不重要的文法和诡辩法上少用些时间。

首先，要找到一个能容纳150人的宽敞的房子和地点来进行教学。这里要由一个有美德的、聪明的、有管理才能的人来管理，并配有大约20名助手。这些人由政府统一安排，具备充足的学识，有能力对学生进行明智的指导或监督指导。这个地方既是初等学校也是高等学校。教学地点不宜改换，除非是一些特殊的法学院或者物理学院因实习需要而为之。一些基础性课程，从拉丁文入门到毕业课程，再到文学硕士课程，至关重要。为了适应教学任务扩大的需要，要在原有基础上建筑大厦以供使用，国内每个城市都需要的修建校舍，其数目由学生步行和两个骑兵队之间的交往方便来决定。一切工作都要按部就班地进行，把每日的工作分为三部分：学习、训练和进餐。

对学习，学生们需要首先学习一些文法中主要的、必需的规则，这些规则具有使用价值。与此同时，要培养他们言语表达既清楚，发音也准确，近似于意大利人说话，特别是发元音的时候。因为我们英国人生长在遥远的北方，在刺骨的寒风中难以张开嘴唇发出优雅的南方语音。许多国家的人都认为我们说话的时候都是闭嘴向内的，就像在用法语讲法律。接下来要培养他们熟练掌握文法。在阿谀奉承、诱惑、自负的思想动摇他们以前，要早早养成他们热爱美德和诚实的品质，给他们读一些容易的且能使他们感到快乐的教育书籍，诸如希腊作家希比斯、普鲁塔克以及苏格拉底和其弟子的著作。但是目前，除了昆提连早期的两三本书和一些零散的文章，则没有拉丁语经典权威著作可读。在此，最重要的技巧和基本工作是利用一切机会使学生们熟悉和了解上述相关知识，诱导他们心甘情愿地遵从美好事物，激发他们对学问的渴求以及对美德的崇尚，树立远大的抱负，一生做勇敢的人、高尚的爱国者和上帝的信徒。这样，就会使他们看不起自己的孩子气和低劣的教育，从而像成年人一样自由积极地参加到学习和锻炼活动中。有文学才能的人就会去学雄辩术。那些生性软弱和胆怯的人在需要的情况下，就可以有意识地进行自我锻炼。如此，在短时间内，他们便可练就卓越的勤奋、勇敢、坦率以及高贵的激情等品质，最终成为有名望的和无畏的人。同时，在一天的其他时间，可以教他们算术法则、几何原理，还可以像过去一样教他们做游戏。晚餐后一直到睡眠这段时间，学生们的思想容易专注于宗教和圣经故事。其次则是描写农业、加图、瓦罗和卡拉梅拉的书籍，因为这些材料很容易读懂。假如书籍当中的语言比较难则更好，因为再难也不会超过他们的年龄可以接受的程度。这是教会学生以后改进国家的耕作、改良土壤、变荒芜的土地为良田的一个机会，而且这也是赫拉克勒斯曾经大力称赞的事。在读完这些作品的一半以前（每天努力攻读），他们不能选读拉丁散文。他们必须阅读现代作家的作品，学会用地球仪和看懂各种地图。先教他们旧名，再教新名称，这时他们甚至可以涉猎自然哲学的基本方法。同时，他们可以用以前学习拉丁语的方式来学习希腊语了，这样文法的困难也就可以克服了。亚里士多德及其弟子狄奥佛拉斯的所有历史学、生理学书籍就可以读了。同样，学生们还可以接触委特汝维斯的建筑学、赛尼加的物理学、梅拉的地理学、开尔苏斯的医学、普林内和塞立诺斯的自然历史（普立内的节略本），等等。在学完算术、几何、天文、地理以及简要物理学之后，他们可以学习数学和工具性的学科三角函数，之后学习工事防御、建筑学、工程学和航海学。在自然哲学方面，他们可以轻松学习到大气现象的、矿物的、植物的、生物的和解剖学的历史。在学习过程中，还可以给他们读一些笔调轻松的医药学作家的著作，使他们知道人的性情、脾气、季节交替以及如何处理消化不良问题。这样，他不但可以当自己的好医生，可以为朋友问诊把脉，还可能以廉价和节约的方式拯救一支军队。不要让青年人强健的体魄因缺乏医学知识而衰败，这将是一个巨大的缺陷，也是军队指挥官莫大的耻辱。在进行自然和数学教学之后，还要使他们获取一些必要和有用的经验，比如狩猎、捕鸟、垂钓、牧羊、园艺、采药等。至于其他学科领域，还涉及建筑、工程、航海、解剖的经验积累。毫无疑问，这其中一些人会受到嘉奖，另一些人则会受到神学院的青睐。由于这样的知识是通过每日愉快地讨论获取的，学生们会终身牢记什么才是真正的自然知识；而那些现在认为最为难懂的诗人作品，也将变得容易且令人愉悦。这些包括俄耳浦斯、黑希奥德、德奥克利特斯、阿拉多斯、尼康德、奥皮安、狄俄尼索斯，以及拉丁语的卢克修斯、马尼留斯的作品和维吉尔的田园诗歌等。此时，随着年龄的增长和一般的训示教育的开展，学生们会逐渐完善伦理学称之为"普罗爱"的理性行为，使得他们思考道德意义上的善与恶。这时，学生们需要经常性的和健全的特殊教育，以引导他们健康成长，教会他们关于美德的知识和憎恶丑恶。当他们还年轻时，容易受感情支配，所以要引导他们学习柏拉图、色诺芬、西塞罗、普鲁塔克、拉尔特斯、劳克利恩等的有关道德的著作，并且要求他们在夜晚学习结束前，也就是在朗诵大卫或所罗门或《圣经》经典语录的同时予以温习。为了完善有关个人职责的知识，他们可以开始学习经济学。之后，为了更加全面地发展，在精心设计和安排下，可以让他们阅读精选的希腊语、拉丁语和意大利语的喜剧作品。同时也可阅读一些涉及家庭事务的悲剧作品，如萨福克里斯的《特拉奇尼亚》和殴里庇得斯的《阿尔塞提斯》等。接下来就要学习政治学了，目的是让他们知道政治社会的开始、结束及其道理。这样他们就不会让国家处于如此的贫困、动荡和危险之中，就不会让国民对前途失去信心（就如现在的一些所谓的伟大政客所做的那样），而是成为国家的栋梁之材。再接下来是学习法律和法律正义。首先要稳妥地传授摩西故事，然后是古希腊受人称颂的立法者的著述，如李克尔吉斯、梭伦、赞里卡斯、卡龙达斯，以及罗马帝国的法典条例，直到英格兰撒克逊法律和普通法律，包括法律现状。由于可以理解的原因，星期日和每天夜晚通常用以学习神学、古代及现代宗教史。在此前，应该安排一小时时间学习希伯来语，便于学员阅读《圣经》原著。此时外加一点迦勒迪和叙利亚的方言也未尝不可。当所有这些学完之后，就要学习历史、史诗和富含高贵论辩的雅典悲剧选读，以及所有著名的政治演说。如果学员们不仅限于阅读，而且还将内容铭记在心，领悟教员的阅读语音和优雅神情，他们就一定会习得德摩斯梯尼、西塞罗、欧里庇得斯和萨福克里斯的精神和活力。最后是学习实用技能，培养学员在作文时表达明晰、优雅，也可以根据需要按照不同风格写作，以表达高贵或者低贱的事物。所以，逻辑学很有用。逻辑学的精华来自柏拉图、亚里士多德、法拉里斯、西塞罗、赫莫格尼斯、郎吉努斯，其严密审慎的思维和话题演变为高雅而华丽的修辞，在学校传授恰如其分。随后，要学习诗歌，也可以在之前学习一点诗歌，虽然少了一些对其精妙之处的理解，但对学员来说却显得更加简洁、瑰丽和激情四溢。我在这里不是说要学生学习诗体学，这在他们习得初级语法之前是不可能的。在亚里士多德的《诗学》、贺拉斯的诗歌以及卡斯泰尔韦特罗、塔索、马左尼等人的意大利评论中，反映出了诗歌是一门崇高的艺术，说明了什么是史诗的法则、什么是戏剧法则、什么是抒情诗法则、什么是好作品以及什么是代表作。通过如此教育，学生们便可以清楚地意识到我们普通的诗人和剧作家是多么低劣，看到诗歌能够将神界和凡界的虔诚、荣耀和恢宏气氛发挥到何种程度。从现在开始，当学员们对事物具有普遍的洞察力的时候，就可以培养他们成为歌颂美好事物的作家和诗人了，他们在国会或地方议会上的发言就将赢得关注和荣耀。在讲坛上，比起现在那些考验我们耐心的演讲，将会出现完全不同的面孔、不同的姿势和不同的事物。这是我们的贵族和绅士青年从12～21岁期间应该按部就班精心学习的途径，除非他们过分地依赖他们故去的前辈，而不是依靠他们自己。在井然有序的学习过程中，学生们应该稳扎稳打，而为了记住所学知识，在适当的时候要回头看看在中途学了什么，有时甚至需要回忆一下最后学了什么，直到把所学知识的精华牢固地、整体性地结合在一起，就像罗马军团决定胜负的最后一役。接下来有必要讨论一下何种身体锻炼和娱乐活动最合适并将最终成为他们学习的组成部分。

他们的体育锻炼

前面简要叙及的教育过程，乃我本人通过查阅典籍得出的结论，与毕达哥拉斯、柏拉图、艾索克拉底和亚里士多德等名流就读的著名古代学校极其相似。这样的学校除了十分繁荣的塞利尼和亚历山大研究之外，曾经在希腊、意大利和亚洲培养了大量杰出的哲学家、演讲家、诗人和王位继承人。但是，这里讨论的学校应该超越古人，要与他们有所区别。柏拉图在《斯巴达》里说，各城邦训练其青年的主要目的是打仗，所有学校和讲坛都是为这样的市民生活服务的。而我所讲的人才培养学校，应该是既适应和平时期也适应战争时期的人才。因此，在吃午饭前一个半小时要允许他们锻炼和休息。这段时间可以适当延长，如果他们晨起的时间较早的话。我在这里首先推荐学员们练习的就是武器的熟练使用，学会安全地应用刀口和刀尖保护自己和攻击敌人。这种锻炼具有很多好处，可以使他们健康、灵活、强壮，增加肺活量，也是为了使他们长得高大，培养他们勇敢和无畏的精神。伴之以适宜的城堡防守和忍耐力的讲解和训诫，他们就会变成真正的英雄并蔑视懦夫行径。他们还要练习我们英国人比较熟悉的擒拿格斗术，在战争中遇到搏斗拽拉的时候能够派上用场。这对于增强学生们的体魄或许已经足够了。锻炼之后和餐前有规律的休息既是有益的，也应该是愉悦的，假如让他们聆听一下曾经听过或者学过的庄严和神圣的乐曲。这些音乐要么是技艺精湛的琴师和令人神往的伴唱一起以赋格曲方式表演的，要么是合唱团演唱的精选的作曲家的曲目，有时由琵琶，有时由轻柔的风琴伴奏；当伴奏乐音停止时出现宗教、军事和民俗的小曲。倘若智者和预言家不犯错误，他们一定会同意这样的说法：音乐对塑造人的性格和培养人们的良好行为习惯方面具有巨大的作用，能使他们远离肤浅粗俗和感情用事，成为文质彬彬的绅士。同时，音乐还有助于饭后的食物消化，使学员们在轻松满足的状态下重新开始学习。在接下来的晚餐前的两小时，学员们会接到命令外出进行军事操练。依据天气状况，操练要么在野外，要么在室内。操练内容跟罗马人经常做的那些差不多：首先练习骑兵术，根据年龄不同，安排在地上或者马背上练习。在训练中要求动作必须准确，而且每天都要集合，传授士兵需要掌握的各种技能的基本要领，包括战斗、行军、宿营、工事防御、围困和进攻，伴之以古代和现代谋略、战术和战争规则的讲解，以此把学员们培养成好似身经百战的出色指挥员，以便为国效力。假如他们要成为受到信赖并充满希望的军人，就不会惧怕严格但精心安排的训练，以摆脱软弱和无能的毛病，何况这样的训练还不一定经常进行。通过如此训练，他们将不会容忍空虚且不能打仗的以二十个军人编班的头领肆意酗酒、偷窃财物、领取空饷，或者贪占小便宜。否则，整支军队都将变为酒鬼，剩下的人烧杀抢掠。如果他们具备辨别好人和坏人的常识，就不会如此遭罪了。再回到学校的话题上，除了上述训练外，学员们还可以到户外以轻松活泼的方式获取经验。当春天来临，空气清新、气候宜人，此时不到外面走走，欣赏自然美景、与天地同乐，完全对不起大自然的恩赐。因此，在经过两三年的学习以后已经打下知识基础的情况下，我不想继续奉劝他们怎样学习了，但是一定要在聪颖和固定的导游带领下到各地巡游。要到有特色的地方去学习和观察，了解城镇建筑和乡村土壤的特点，了解港口的贸易状况。偶尔乘船远行海上，达到海军所在位置，尽可能学习航海和海战的一些使用知识。这些途径有利于发现他们独特的天赋才能，如若他们中间的某些人具有潜在的才能，那么就给他们提供恰当机会以利其发挥，这对国家具有莫大的好处。这些途径还有利于发扬人人尊崇的古老美德和传统，有利于更好地传承基督教知识的纯洁性。这样一来，我们还有必要请求来自巴黎的先生们把我们前途无量的年轻一代囚禁在邪恶和奢侈的地方，随后把他们变成木偶、猿猴和华而不实的饰物遣送回来吗？但是，如果他们在23岁左右想到国外去开阔视野、精心考察，而不是学习基础知识，他们就会在所到之处不仅受到尊敬，还能充分了解社会并与杰出人物建立友谊。其他国家会因为我们的良好教育来访我国，把我们的经验带回去。

最后，是有关学生们的膳食。对此我要说的不多，只是想强调膳食应该是同类条件下最好的。由于很多学生是偶尔在校外度过的，染上了一些坏毛病。我想，提供给学生的膳食应该是清淡、健康和温和的，这不会有争议。哈特里布先生，如你所愿，您已经得到了我们多次对话所涉及的优质与高贵教育的文章。此文没有像其他人那样谈及从摇篮开始的初期，那也许还需要很多仔细考虑。如果本文过于简短，那是因为我的视野所限，未能周全地述及其他情形。但就教育试验所需的原则指导和精神启迪来讲，本文已经足够了。我认为本文提出的教育方法并非适合于每一位担任教师职责的人，对一位教师最核心的要求是要像荷马对待《尤利西斯》那样对待他的工作。我不厌其烦地劝导大家，是因为只要我们开始尝试革新，它一定不会和现在看起来一样遥远，也不会那样抽象，至少不会像我想象的那么困难。只要怀有美好的愿望，那么在我的设想之中就只有快乐和可能。一旦上帝需要我们这样做，我们这个时代就一定具备足够的精神和能力完成这一神圣的使命。